日本人はなぜ
日本のことを知らないのか

竹田恒泰
Takeda Tsuneyasu

PHP新書

この本を手に取った方へ

今、世界に現存する国のなかで、日本が世界最古の国であることを知っている人はどれだけいるでしょうか。そのことをはじめて知ったとき、僕はびっくりしました。「日本ってすごい」と素直に思ったものです。これが、僕が日本を好きになったきっかけでした。

でも、学校では日本の国の成り立ちについて教えていません。大学生でも「日本はいつどのようにできたか」の問いに答えられる人は少ないようなのです。国際人としての大前提は、自分の国について知っていることです。そして、その第一歩は、国の成り立ちを知ることではないでしょうか。この本を手にしたことで、一人でも多くの人が、日本に誇りを持ってくれることを願っています。

僕は平成二十二年の暮れ、多くの人に日本の魅力を知ってもらいたいと思って『日本はなぜ世界でいちばん人気があるのか』（PHP新書）を出しました。それが短期間のうちに、三〇万部を超えるベストセラーになったのには、正直、驚いています。多くの人が日本のことを知ろうと本を手にしてくれたことが嬉しいのです。

日本に興味を持っている人たちに、この本を贈ります。

竹田恒泰

本書の読み方

本書は第Ⅰ部と第Ⅱ部で構成されています。

第Ⅰ部は「日本はいつできたのか」と題して、歴史学と考古学の両面から、日本の国の成り立ちについて解説しています。

『古事記』『日本書紀』をはじめとする国内の文献と、中国王朝が記した正史などの文献、また古墳や石碑を含む日本、中国大陸、朝鮮半島の遺物と出土物、そして、そのなかに含まれる文字情報などを総動員して、さらには、現在の日本社会とのつながりを考えながら、日本建国の真実に迫ります。我が国は文字のない時代に成立しました。ということは、分からないことも多いのです。限られた情報から、建国の情景を想像するのは楽しいものです。

第Ⅱ部は、中学校の歴史の教科書をイメージして書いた教科書です。普及している歴史教科書には、日本の建国について書かれていないので、まっとうな日本人を育てるためには、このような歴史教科書を用いるべきだと私が信じる教科書を書いてみました。

この教科書は、人類の起源から、律令国家が完成するまでの期間を扱っていて、その期間の主要な話題を網羅《もうら》するように書きました。学校の勉強の副読本として活用していただいてもよいと思います。戦後体制にとらわれない、日本人として持つべき本来の歴史観を確認するのにも役立てていただけると思います。

さて、本書の読み方ですが、第Ⅰ部と第Ⅱ部は独立したものです。どちらを先に読んでいただいても構いません。あらかじめ日本の歴史の流れを確認しておきたい人は、第Ⅱ部から読むことをおすすめします。また、日本がいつどのようにできたのかをいち早く知りたい人は、第Ⅰ部から読むことをおすすめします。

もしくは、第Ⅱ部の該当するところを参照しながら第Ⅰ部を読み進めるのも理解が深まる方法だと思います。自分に合った読み方をしてください。

日本人はなぜ日本のことを知らないのか　目次

この本を手に取った方へ
本書の読み方

第Ⅰ部　日本はいつできたのか

第一章　日本の教科書は世界の非常識　9
第二章　憲法の根拠は『日本書紀』にあり　41
第三章　神武天皇の否定は初歩的な誤り　65
第四章　戦争なく成立した奇跡の統一国家　93
第五章　中国から守り抜いた独立と自尊　121
第六章　国を知ること、国を愛すること　149

第Ⅱ部 子供に読ませたい建国の教科書

1 先土器時代以前 169
2 新石器時代と日本の縄文時代 177
3 戦乱の弥生時代 192
4 古代王朝の誕生と古墳時代の幕開け 203
5 独立国への苦難の道 214
6 律令国家の成立 224

あとがき

主要参考文献一覧

第I部

日本はいつできたのか

第一章

日本の教科書は世界の非常識

学校教育で建国の歴史を教えない国は、世界中で、日本だけではなかろうか。我が国は現存する世界最古の国家である。日本人なら素直に喜び、誇りに思えるこの重大な事実を、なぜ日本人は知らないのか。

日本が最古の国であることを知ったとき、私は心から感動し「日本はすごい国なんだ」と思った。これほど日本人に誇りを持たせる重要な歴史を教えないとは、不自然極まりない。日本国民の意識から「建国」が完全に抜け落ちてしまった結果、現代日本人は建国精神を忘れ、民族の誇りを忘れ、日本人の気質を失ってしまったように思える。

そしてその結果、現在の日本は、建国記念の日に建国を祝う国民がほとんどいないという、世界的に見て、極めて異常な状況にある。日本国が存在することのありがたさを、日本人は実感していない。これは国家・民族の危機であろう。戦後教育の誤りは、国を滅亡させる力をも発揮しうるのである。

現代日本人があまりにも国史に無知であることは、現代日本社会の歪《ひず》みを如実に表しているように思えてならない。我が国は先の大戦の終結来、誇りを持つことを禁止されてしまったように見える。民族に誇りを持てなくなったら、その民族は滅びるに違いない。

日本は現存する唯一の古代国家

世界には一九〇を超える国が現存するが、そのなかで世界最古の国家が日本であることはあまり知られていない。このことは、戦前までは誰もが共有していたことだが、戦後は国民の記憶のなかから抹消されてしまった。

老舗《しにせ》が「創業何年」と銘打つように、古い時代から継続してきたことは、大きな誇りである。私が世話になった小学校も、幕末の慶応年間に創立された長い歴史を持ち、子供時分からそのことを誇りに思っていたことを今でもよく覚えている。長い歴史のなかで、価値のないものは淘汰《とうた》され、失われてきたが、ほんとうに価値のあるものだけが守られ、今に継承されてきた。伝統には、必ず相当の意味や価値があるものなのである。

世界の歴史は王朝交代の歴史だった。世界史の年表を眺めれば、国家は数十年や百年程度で成立と滅亡を繰り返してきたことがよく分かる。人類史上、四百年以上国を守ったのは、数えるほどしか例がない。

ところが、そのなかで日本だけが、古代から続く王朝を守り、今も存在しているのである。そして、我が国の建国よりも前にあった王朝は、いずれも滅び、今は存在しない。

では日本の建国はいつなのか。正式な歴史書である正史『日本書紀』によれば、初代神武《じんむ》天皇の橿原宮《かしはらのみや》（奈良県橿原市）での即位が我が国の建国で、これは紀元前六六〇年、すなわち今から約二千七百年前に相当する。もっとも、これには考古学界からは根強い批判がある。『日本書紀』には神話的要素が強く、特に建国に関する記述には信憑性《しんぴょうせい》が乏《とぼ》しく、認められないという。

しかし、三世紀前期に奈良県の三輪山《みわやま》の麓《ふもと》にある纒向《まきむく》遺跡に前方後円墳が造られたことがヤマト王権の成立を示していて、そのヤマト王権がやがて日本列島の大部分を統治する大和朝廷となり、以来、現在に至るまで王朝の交代がないことは、考古学界でも共通した認識になっている。

このことから、日本の建国は、考古学の立場から考察し、最も短く見積もっても千八百年前となり、いずれにしても我が国は現存する最古の国家であることに違いはない。また、考古学者たちが主張する、大和朝廷の基盤となる王権が畿内で成立したことは、『日本書紀』の記述とも一致する。

ただし、日本列島の大部分を統治する国が瞬間的に立ち上がるとは考えられない。大和朝廷につながる小さな国家がそれよりも前に成立していたはずであるから、弥生時代の時間の流れが緩やかだったことを考慮すれば、千八百年に数百年上乗せした歴史がある、と考えるのが自然であろう。ならば、我が国の建国はおよそ二千年もしくは、それ以上前と表現しても大きく外れることはない。

日本の国の歴史の長さは、他国と比較すると理解しやすい。現存する国家のなかで日本に次ぎ、二番目に長い歴史を持つのがデンマークである。十世紀前半にヴァイキングたちを統合した初代国王ゴームが建国したと伝えられ、現在の国王はゴーム王の子孫とされる。だが、それでもその歴史は千数十年と、日本の半分程度に過ぎない。次いで三番目が英国で、初代国王のウィリアム一世がフランスから海を渡ってきてブリテン島を征服したのが一〇六六年、およそ九百数十年前のことである。現在のエリザベス女王はその子孫とされる。

ところで、国連の常任理事国は英国を除いていずれも歴史が浅い。アメリカが独立戦争を経て英国から独立したのが一七七六年、フランスはフランス革命が始まった一七八九年、中国は毛沢東が天安門広場で成立を宣言した一九四九年、ロシアはソヴィエト連邦が崩壊して独立を宣言した一九九一年が建国の年である。日本国が二千年以上の間、王朝を守ってきたことは、人類史上の奇跡といっても過言ではない。

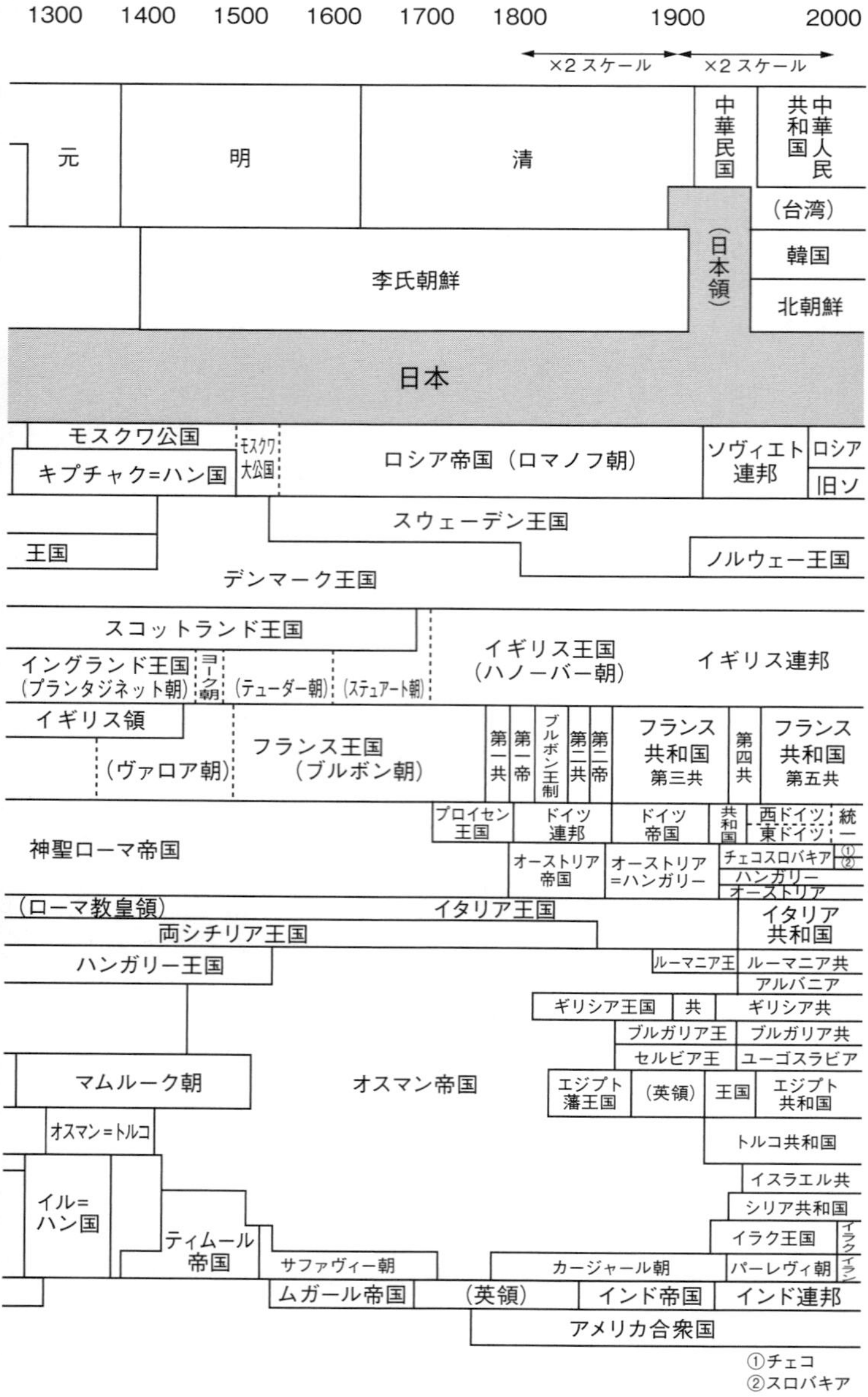

1300
1400
1500
1600
1700
1800
1900
2000
×2 スケール
×2 スケール
元
明
清
中華民国
中華人民共和国
(台湾)
李氏朝鮮
(日本領)
韓国
北朝鮮
日本
モスクワ公国
キプチャク=ハン国
モスクワ大公国
ロシア帝国（ロマノフ朝）
ソヴィエト連邦
ロシア
旧ソ
スウェーデン王国
王国
ノルウェー王国
デンマーク王国
スコットランド王国
イギリス王国（ハノーバー朝）
イギリス連邦
イングランド王国（プランタジネット朝）
ヨーク朝
（テューダー朝）
（ステュアート朝）
イギリス領
（ヴァロア朝）
フランス王国（ブルボン朝）
第一共
第一帝
ブルボン王制
第二共
第二帝
フランス共和国第三共
第四共
フランス共和国第五共
プロイセン王国
ドイツ連邦
ドイツ帝国
共和国
西ドイツ
東ドイツ
統一
神聖ローマ帝国
オーストリア帝国
オーストリア=ハンガリー
チェコスロバキア
①
②
ハンガリー
オーストリア
（ローマ教皇領）
イタリア王国
イタリア共和国
両シチリア王国
ハンガリー王国
ルーマニア王
ルーマニア共
アルバニア
ギリシア王国
共
ギリシア共
ブルガリア王
ブルガリア共
セルビア王
ユーゴスラビア
マムルーク朝
オスマン帝国
エジプト藩王国
（英領）
王国
エジプト共和国
オスマン=トルコ
トルコ共和国
イスラエル共
シリア共和国
イル=ハン国
ティムール帝国
イラク王国
イラク
サファヴィー朝
カージャール朝
パーレヴィ朝
イラン
ムガール帝国
（英領）
インド帝国
インド連邦
アメリカ合衆国
①チェコ
②スロバキア

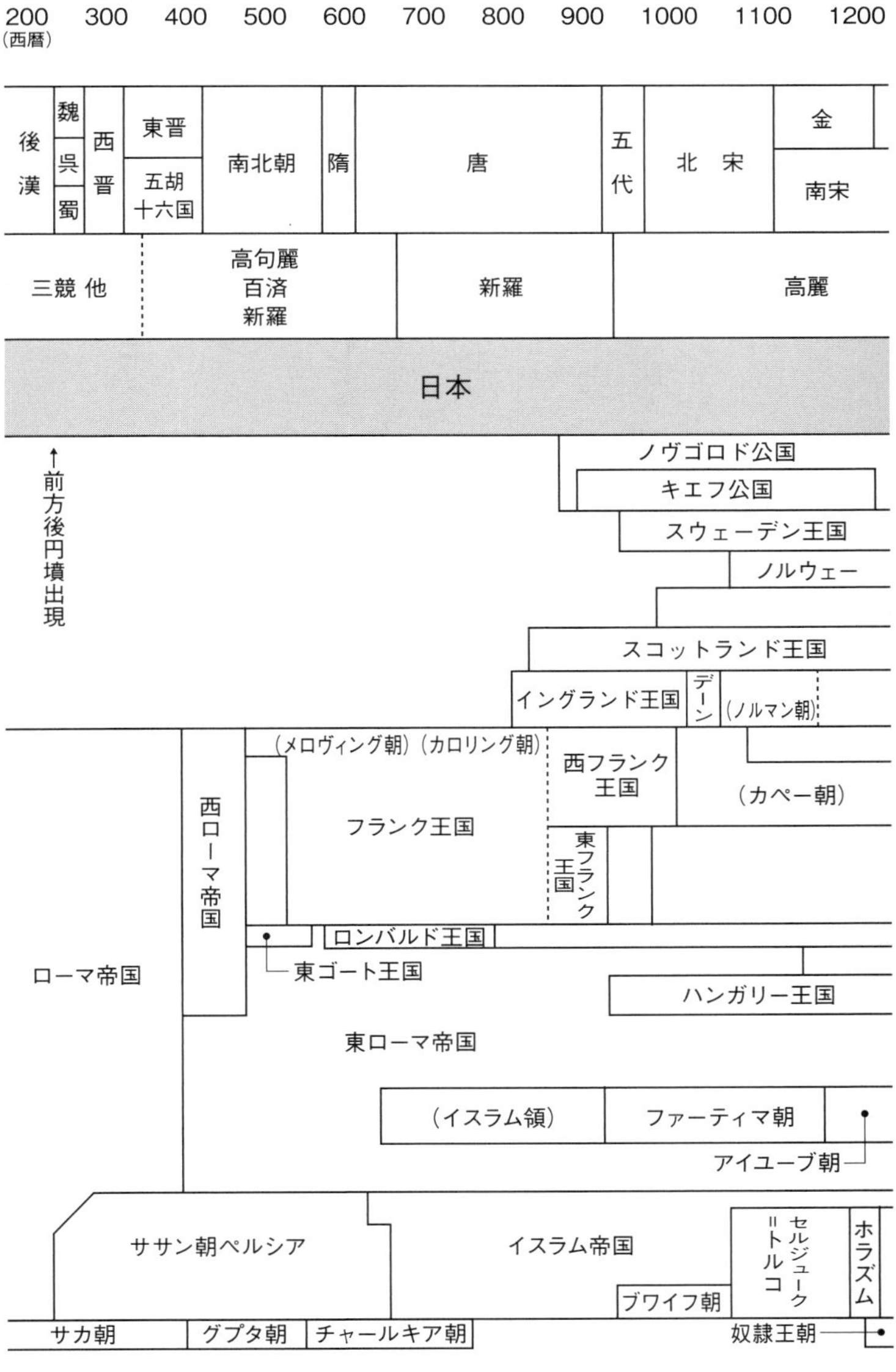

世界各国略年表(拙著『日本はなぜ世界でいちばん人気があるのか』PHP新書より)

国の成り立ちを知らない子供たち

私は慶應義塾大学の大学院で憲法の授業をしているが、学生たちに「日本はいつどのようにできたのか」と問うても、答えられる生徒はほとんどいない。大学院でもその状態であるから、まして、全国の大学生や高校生は日本の国の成り立ちを知らないと考えてよい。この状況は、国家の存亡にかかわる極めて重大な危機と考えるべきだろう。

この事態を外国に置き換えてみると、日本の異常さが分かる。たとえば、アメリカの教育を受けたにもかかわらず、アメリカの独立戦争を知らず、初代大統領のジョージ・ワシントンを知らないアメリカ人などいるだろうか。もしそのようなアメリカ人がいても、もはやアメリカ人とは呼べないのではないか。アメリカ人なら、誰しも建国の経緯を詳《つまび》らかに語ることができるはずだ。同じように、フランス革命について語ることができないフランス人や、毛沢東を知らない中国人などがいたら「もぐり」であろう。

国民が建国の歴史を知っていることは、新しい国に限るものではない。日本に次いで古い歴史を持つデンマークや英国でも、国民は建国の歴史を雄弁に語ることができる。初代国王ゴームを知らないデンマーク人や、初代国王ウィリアム一世を知らない英国人などもいるはずがない。

このように国民が国家・民族の歴史を熟知しているのは、国が力を入れて教育しているからにほかならない。どの国も、自国の歴史は建国からていねいに子供たちに教え込んでいる。ゆえに、そのような国の子供は、自国の歴史を知り、ときには外国人に説明することができるのである。

同じように、日本でも義務教育の現場では歴史を教えている。中学校の社会科には歴史の科目があり、日本の子供たちは確実に日本の歴史を勉強しているはずである。

ところがなぜ、日本の若者は建国の経緯を知らないのか。その答えは、中学で使われている歴史の教科書の中身にある。なんと、中学の歴史の教科書には、どこにも我が国の建国の経緯が書かれていない。それどころか、初代の神武天皇も紹介されていないばかりか、天皇とは何かについても、ひと言も説明されていない。これでは、子供たちが、日本はいつどのようにできたか、日本はどのような国なのか、分かるはずがない。

日本人が誇れることを書かない歴史教科書

ここで中学の歴史教科書がどのように日本の成り立ちを説明しているか、東京書籍の『新

編 新しい社会 歴史』（平成十七年三月検定済、平成二十二年発行版）を一例に示すことにしたい。同教科書は、日本の中学校のおよそ半数が採用している、最も普及している中学の歴史教科書である。

同書は「古代までの日本」という章を掲げ、人類の出現から平安時代の前期までを解説している。まず、同書は歴史の教科書であるはずだが、およそ歴史とは学問分野の異なる人類の進化について述べ、人類の祖先がいつごろ生まれたか、日本人の祖先はどこから来たかという問題に答えようとする。歴史とは、文明が成立して以降のことを指すのであり、進化論の類《たぐい》は本来、生物学で扱うべき領域であろう。しかし、歴史の教科書が科学的根拠に基づいて語りはじめる印象を抱かせるには、十分な役割を担っているようだ。

そして、日本列島はかつて大陸とつながり、マンモスなどが棲《す》んでいたこと、日本列島に移り住んできた人々が、打製石器を作って獲物を捕らえて生活をしていたことの説明があり、また話が世界に飛んで、人類は土器と磨製石器を作りはじめ、新石器時代に入った旨を説き、次に世界の文明の発生についてふれて、文明の一つとして中国文明を紹介した後、再び日本の話題に戻り、日本の縄文文化について解説が始まる。

ところで、中国文明は世界四大文明の一つとして紹介されているが、エジプト文明、メソポタミア文明、インダス文明、中国黄河文明を世界四大文明として、世界文明の祖であると考えるのは、学問の世界では今や完全に否定されている。これは、考古学の成果により、同条件を満たす地域が他にいくつも発見されたことによる。そもそも欧米では四大文明という考え方をこれまでもしていない。世界に通用しない過去の学説を当然のように載せているのが日本の中学の歴史教科書なのである。

大平山元Ｉ遺跡出土の土器片

岩宿遺跡出土の局部磨製石斧（上段左から２番目）
（明治大学博物館蔵）

さて、これに続く縄文時代の説明はわずか一ページで、日本列島が大陸から離れたこと、縄文土器が作られるようになったことなどを述べている。しかし、青森県の大平山元Ｉ遺跡《おおだいやまもといち》出土の縄文土器が、世界最古級の土器である旨の説明はない。また、世界最古の磨製石器が日本から出土したことも書かれていない。これらのことは、日本人なら誰でも誇りに思えるような事柄だが、教科書にはそのような記述は書かない暗黙のルールがあるかのようにさえ思える。

続けて、同教科書は弥生時代について、一ページの紙面のなかで、渡来人が日本に稲作と金属器を伝え、弥生土器が出現したことを説明し、次ページのコラムで「考古学のとびら」と称して、地層から出土物の年代を知る方法や、科学的な年代測定法の紹介をしている。ここまで生物学、地質学、考古学などの理系分野の知識を用いて世界と日本の文明の起こりについて、非常に科学的な解説が施されてきたことを覚えておいてほしい。

邪馬台国の強調に見られる歴史歪曲の意図

そして、ついに日本列島に国が誕生する部分の話に入る。稲作が盛んになると、日本列島に小さな国々が成立し、百余りの国があって中国に朝貢《ちょうこう》する国もあったことを中国の歴史書を引用して説明する。

次に、ようやくこの教科書の本文で最初の日本人の固有名詞が登場する。『魏志』倭人伝を引用して女王の卑弥呼とその国の邪馬台国について語られる部分であり、これではまるで、卑弥呼こそ日本建国の象徴であるかのような印象を受ける。

しかし、卑弥呼も邪馬台国も中国の書物のたった一カ所に書かれているだけで、日本側の記録には一切見ることができない。邪馬台国との関係が特定できる出土物も一つも発見されていない。それどころか、中国の歴史書にはかなりいいかげんな記述もあり、邪馬台国に関しても、中国からの道筋の記述どおりに行こうとすると、海の上に辿《たど》り着いてしまうという杜撰《ずさん》なもので、『魏志』の記事をそのまま史実であると、とらえるべきではない。

この「邪馬台国」「卑弥呼」という表現は、周囲の民族を軽蔑《けいべつ》する中華思想に基づくものである。「邪」は「邪悪」、「卑」は「卑《いや》しい」などに用いる、悪い意味を持つ漢字であり、中国王朝は日本人のことを蔑《さげす》んで、これをわざわざ使用している。

邪馬台国こそ「やまとこく」（大和朝廷）であるとの主張もあるが、もし発音が近いと理解したとしても、邪馬台国と「やまとこく」を関係づける証拠は何一つない。もし邪馬台国がヤマト王権の母胎なら、日本人としては「邪馬台国」ではなく「大和国」と表記すべきである。

それどころか、後にも記すように、ヤマト王権の成立は、三世紀前期に奈良県の三輪山の麓に巨大古墳が造営されたときに見ることができる。ヤマト王権が大和朝廷の母胎であることは疑う余地がない。そして、『魏志』倭人伝が記す邪馬台国は、三世紀の記事である。すなわち、もし中国の史料が正しいなら、ヤマト王権と邪馬台国は同時に存在していたことになる。したがって、可能性としては、邪馬台国がヤマト王権であるか、もしくは、そうでないか、この二通りしか想定することができない。

もし前者なら、邪馬台国はヤマト王権のことで、国名として表記するならやはり「大和国」とすべきであり、もし後者なら、邪馬台国はいずれかの段階で滅ぼされた一地方政権に過ぎない。どちらであっても、日本の国史にとってあまり影響はない。

まして、邪馬台国が統一王権の基礎となったことを示す根拠はどこにもないのであるから、日本建国の歴史を、邪馬台国を軸にして語るのは不適切というべきだろう。それこそ注釈に「中国の歴史書にはこのような記述もある」と小さく紹介すれば十分ではなかろうか。卑弥呼と邪馬台国を用いて国の成り立ちを語ろうとするところに、政治的意図が見える。

いよいよ本教科書は、日本国の起源である大和朝廷成立を説明する。ただし、本文では「大和政権」の語を用いているが、「政権」には「移り変わるもの」という印象があり、これも「朝廷」ではなく「政権」の字を用いることで、現在の日本国と大和朝廷との関係性をうやむやにする意図があるものと思われる。

本文は「3世紀後半になると、奈良盆地を中心とする地域に強力な勢力（大和政権）が生まれ、前方後円墳をはじめとする大きな墓（古墳）がつくられるようになりました」と記す。これこそが、大和朝廷が一定の勢力を保持するようになったことを意味する部分だが、現在の日本国につながる国家が成立したという趣《おもむき》は、この文章から微塵《みじん》も感じることはできない。そして、大和政権は王が率いていると説明されるが、王の名が紹介されないばかりか、どのように王権が成立したかはまったくふれられていない。

古墳時代から飛鳥時代への不自然なつながり

続けて同書は、前方後円墳が各地に造られるようになり、大和政権の支配領域が広がったことを述べる。そして、ここで「国のおこりについての神話や伝承も、しだいに形づくられていきました」と記し、注釈が示すページを参照すると、そこには奈良時代に「日本の国家のおこりや、天皇が国を治めるいわれを確かめようとする動きが興りました」という説明の後に、『古事記』と『日本書紀』の名が登場するのを見ることができる。だが、この記述では、どうしても後世になって神話を創作して記紀（『古事記』と『日本書紀』）に記したような印象を持たざるをえない。

詳しくは第二章で述べるが、記紀は、長年各地で口伝《くでん》により伝承されてきた言い伝えを記した歴史書であって、後世の創作などではないため、この教科書の表現は不適切というべきである。ここにも記紀を封印しようとする政治的な意図を感じる。

次に、中国、朝鮮との交流、そして多くの渡来人が日本に渡り、様々な技術を伝えた旨がていねいに書かれている。そして、大和政権の王は、五世紀には九州から東北地方南部にまたがる地域の豪族を従えて「大王《おおきみ》」と呼ばれるようになり、中国にたびたび朝貢し、その当時の大王は「倭の五王」と呼ばれていたと説く。

ここで大きな違和感を覚えるのは、「倭」という文字の使い方だ。「倭」とは、中華思想を持つ中国皇帝が「おちびちゃん」というように、日本を蔑む意味をもって使った字と考えられ、それを日本人自ら「倭」と称することはなかろう。しかも「倭の五王」というのも中国の歴史書での表現であり、日本では用いていない。

それから、欄外に稲荷山《いなりやま》古墳出土鉄剣と、江田船山《えだふなやま》古墳出土鉄刀に記された「獲加多支鹵《わかたける》大王」の文字は紹介されるものの、それが雄略《ゆうりゃく》天皇を意味することは書かれていない。それどころか、その大王は倭の五王の一人である「武」と同一人物と考えられているとの解説を付けている。写真まで掲載しておきながら、なぜその人物の日本における呼称を示さずに、中国の文献上の呼称のみを示すのか理解に苦しむ。どうやら、古墳時代の天皇には一切ふれたくないようで、皇室が日本の歴史の中核でありつづけたことを極力隠そうとしているように思えてならない。

そして、ついに同書は、古墳時代を終え、飛鳥時代の説明に入る。ここからは文字史料に裏付けされた、緻密《ちみつ》な歴史の記述が期待される部分だが、同書は大陸では隋が滅び唐が国を統一したこと、朝鮮半島で百済《くだら》と新羅《しらぎ》が勢力を強めたことに続き、「国内では地方の豪族が反乱をおこし、政権のなかでも、豪族どうしの争いが続きました」の一文の後に、なんと、ここで突如、天皇が登場する。次の文である。

「女帝の推古天皇が即位すると、おいの聖徳太子が摂政になり、蘇我馬子と協力しながら、中国や朝鮮に学んで、天皇を中心とする政治制度を整えようとしました」

日本の歴史の教科書に登場する最初の天皇は、第三十三代推古天皇だった。しかも、三十三代であることは本文から読み取ることはできない。「豪族どうしの争い」の結果、推古天皇が勝利を収めて初代天皇に即位したかのような書きぶりである。実際、推古天皇が初代天皇と勘違いしている中学生は多い。推古天皇は、古墳時代初頭に前方後円墳を最初に築いた大和の大王の子孫である。遅くとも三世紀以来、長期間、国を治めてきたその事実を伝えようとする気概も感じられない。

しかも、突如として「女帝の推古天皇が即位すると」と記述するも、大和政権の大王との関係は何も語られず、そのうえ、天皇とは何かという説明もなく、初代の神武天皇の名も書かれていない。もちろん、記紀が伝える建国神話など、どこにも紹介されていない。このような教科書を使っている限り、日本がいつどのようにできたのか、子供たちが建国の経緯を知ることはできない。

考古学と歴史学の間

今、例に挙げたのは東京書籍の教科書だが、日本文教出版、日本書籍新社、帝国書院、教育出版、清水書院の六社が出版している中学の歴史の教科書は、多かれ少なかれ、いずれも同じようなものである。ただ、扶桑社と自由社の教科書だけは、考古学の手法だけでなく、建国神話も併記することで、日本建国を伝えようとする気概が感じられる。しかし、普及率は一パーセント程度と低い（二〇一一年三月には育鵬社の教科書が検定合格）。

東京書籍の教科書は、冒頭は考古学で歴史を語りはじめ、飛鳥時代から突然、考古学から歴史学に切り替わったことに気付いた人も多いことだろう。単に「歴史」というと、歴史学と考古学の両方を含む場合があるが、もともと歴史学は考古学とはまったく別の学問である。歴史学は文系に属し、文字史料を扱う学問であるのに対し、考古学は理系に属し、遺物や遺構など人類が残した痕跡《こんせき》を主に物質的資料として扱う学問である。

そして、歴史学と考古学はそれぞれまったく異なった学問的手法を持ち、異なった学問体系を築いてきた。両者は交わることなく、それぞれの道を歩みつづけてきた。歴史学と考古学が相互に情報交換をするようになったのは、つい最近のことで、成果はまだ十分にはあがっていない。

考古学は文字史料を扱わない学問であるから、大まかな年代を示してクニらしき巨大な集落が出現したことは説明できても、決して建国の歴史を説明することはできない。もし建国を論じるなら、それは後述のとおり『日本書紀』を基軸に置いて論じる他に方法はない。その場合、考古学は『日本書紀』を否定するのではなく、肯定するための道具として活用すべきである。

ところが、中学の歴史教科書は、考古学によってのみ国の成り立ちを説明しようとしている。しかし、考古学によって建国は説明できないため、結局のところ、説明しているように見えて、実はまったく説明していないものになってしまっている。

そのため、教科書は古墳時代までは考古学で歴史を語り、飛鳥時代に入ると突然、歴史学で歴史を語りはじめる構造になっていて、勘の鋭い人は、古墳時代から飛鳥時代へのつながりが妙に不自然であることに違和感を持ったのではないか。考古学と歴史学はまったく別の学問であるから、つなぎ部分が不自然なのは当然である。

そして、これは意図的であると思われる。中学の歴史教科書は、考古学を用いて国の成り立ちを説明することによって、建国の経緯を説明せずに済んでいると考えた方が実態に即しているかもしれない。

日本は連合国から占領を受けて以来、日本に誇りを持てるような教育が禁止され、今に至る。その結果、現存する最古の国の建国は、子供たちに教えないようにしているのではないだろうか。考古学で歴史を語りはじめる手法は、建国の経緯を語らずに済む方法だったはずだ。それでいて、科学的根拠に基づいて合理的に歴史を説明している印象を持たせるものであり、うっかりするとこの巧妙な仕組みに気付きにくい。

日本の中学の歴史教科書は、戦後体制の産物であり、その背景には、GHQの実行した「ウォー・ギルト・インフォメーション・プログラム」(War Guilt Information Program)によって植え付けられた敗戦コンプレックスがある。日本人が日本に誇りを持つことは、固く禁止されてきたのである。

さらに高等学校では、ほとんどの自治体で日本史は選択科目になっている。しかも履修率は低い。真の国際人を育てるためには、高校の日本史は必修にすべきであろう。日本の歴史を知らずして、世界の歴史を学んでも仕方がないと私は思う。自国の歴史を知っていることは、国際人として最低限必要なことである。そして、何よりも危惧《きぐ》すべきは、建国の経緯も書かれていない異常な中学の歴史教科書を使った歴史教育が、大半の日本人にとって歴史教育の仕上げになってしまっていることである。

なぜ「国史」ではなく「日本史」と呼ぶのか

それだけではない。高校で日本の歴史を教える科目は「日本史」という名称になっているが、なぜ「国史」ではないのだろう。終戦までは「国史」という名称だった。これは、ただ科目名が変わっただけではなく、今の歴史教育が、日本人が学ぶべき日本の歴史ではないことを象徴しているのではないか。

たとえばアメリカの学校には「アメリカ史」などという科目はない。あるのは「National History」(国史)。同様に中華人民共和国の学校に「中国史」なる科目はなく、「国史」があるのみ。日本人や外国人が学ぶ他国の歴史なら「アメリカ史」「中国史」でよいが、アメリカ人や中国人が学ぶ自国の歴史は、それとは内容が異なって当然である。中国人が学ぶ国史は、毛沢東の偉業を称えるものかもしれないが、日本人が学ぶ中国史はそうではない。中国人が学ぶ「国史」と日本人が学ぶ「中国史」は本質的に内容が異なるのである。

それと同じように、外国人が学ぶ「日本史」と、日本人が学ぶ「国史」は別のものであるはずだ。日本の高校で使われている「日本史」の教科書は、日本人が日本人に教える歴史ではなく、第三者が第三者に向けて、極めて客観的に、そして無機質に書かれている。まるで、宇宙人が「ある星のある島にこんな国がありました」と語っているように思える。これでは歴史観を持った日本人を育てることはできない。

日本における歴史教育は、まっとうな日本人を育成するためのものでなくてはならない。日本人が日本の建国と独立自尊の精神を学ぶことは、歴史教育の柱であるべきだ。そのような教育を受けることで、子供たちは、日本の特質と日本人の精神的気質を知り、日本という国が存在していること、そして、日本人に生まれてきたことの意義を知って、祖国を愛する心を養うことができるのである。

●●・失われた「紀元節」・●●

現代日本人のほとんどが日本の建国について知らないという事態は、先の大戦の終結後に、建国を祝う記念日が廃止されたことと関係があると思われる。建国を記念する日は、かつて紀元節という名称の祝日だった。明治五年（一八七二）に制定され、昭和二十三年（一九四八）に廃止されるまで、『日本書紀』が記す神武天皇即位に基づき、毎年二月十一日が、日本の紀元を祝う祝日とされてきた。終戦後は学校で日本の建国の歴史を教えなくなった。その象徴ともいえる出来事が、紀元節の廃止だったのである。

その後、紀元節を復活させようとする動きが活発になったが、建国記念日を制定する法案は九回も廃案となり、最後には「建国記念日」に「の」を入れて、「建国記念の日」とすることで、法案に反対していた社会党（当時）との折り合いがついた。「の」が入ったことで、「建国記念日を祝う」という解釈の他に、「日本が建国したという事実を祝う」との解釈が可能となり、与野党で妥結した。かくして、祝日法改正案が可決され「建国記念の日」が成立することになった。

実際には、祝日法自体では日付は定めず、総理府に設置された、学識経験者から成る建国記念日審議会によって審議された結果、二月十一日とすることが決められ、政令によって定められた。

昭和四十一年（一九六六）当時に実施された内閣総理大臣官房広報室の世論調査によると、成人男女一万人を対象に調べたところ、元の紀元節の日にあたる二月十一日が最も相応《ふさわ》しいと答えた人が四七・四パーセントに上り、他を引き離してトップだった。少数意見には、八月十五日の終戦の日、四月二十八日の講和条約発効の日、五月三日の憲法記念日、四月三日の聖徳太子の十七条憲法発布の日などがあったという。

では、なぜ二月十一日が建国記念の日なのだろうか。それは、日本は成立のときから君主を仰いでいて、日本の建国の日を指し示すならば、初代天皇の神武天皇の即位の日とする以外に、相応しい日はないからである。そして、その日は『日本書紀』によると、紀元前六六〇年の元旦であり、これをグレゴリオ暦に換算したのが、二月十一日にあたる。

アメリカ、フランス、ロシア、中国のように、建国から日の浅い国は「何年の何月何日に建国した」と明確にいうことができるが、日本のように建国から二千年以上経過している場合は、そのように明確に示すことが困難である。

また、通常、国家はどこかの国から独立するか革命によって成立する場合が多く、建国の日は明確になりやすいが、日本の場合はそれらと異なり、太古の昔にヤマト王権が発展して大和朝廷となり、それが徐々に日本国としての基盤を整備して現在に至るため、欧米諸国とは建国の背景がまったく異なる。

もしイエス・キリストの末裔《まつえい》がイスラエルかどこかの国王として今に続いていたら、分かりやすかったかもしれない。そのような国が現存していたら、その国の建国は『聖書』の神話に依拠せざるをえない。建国を科学的に説明することの困難さは、古代から続く国家にとっては付いてまわる問題なのだ。古代から続く国家は世界に日本しかないのだから、結局、この問題は日本固有の問題となっている。

しかも、日本列島の大部分を統治する統一王権が成立したのは、古墳時代前期から中期にかけての期間であることは疑いの余地がないが、この時期、日本ではまだ文字がない。文字がない時代に成立した国が現存しているのも、日本以外に例はない。

文字のない時代は、文字史料が存在しないのであるから、歴史は出土物でしか伝わらない。そのため、固有名詞や日付が伝わらない時代であり、逆にいえば、この時代の固有名詞や出来事、またその日付が伝わっていたら、それこそおかしいのである。したがって、日本の建国の詳細が伝わっていなかったとしても、それはむしろ当然というべきだろう。

建国を祝うのは世界の常識

文字のない時代に起きた建国を説明するには、神話をもって語る以外に方法はない。キリスト教の成り立ちが神話によって語られるのに違和感がないように、日本の国の成り立ちを神話によって語ることは、最も現実的である。初代神武天皇の即位日は正確に分からなくて当然であるから、日付を特定する必要があれば、『日本書紀』の神武天皇即位の記事に注目する以外に方法はない。

今から約千三百年前に成立した正史『日本書紀』には、初代の神武天皇の即位に関する記述がある。確かに『日本書紀』の記事には、科学的にはとても事実とは思えない部分もあるが、列島各地に口伝により伝えられてきた神話などを体系的にまとめたもので、そこには一定の事実が反映されているものと考えなくてはならない。

しかも『日本書紀』は個人が書いたものではなく、天武《てんむ》天皇の勅命により国家が編纂《へんさん》したものであり、我が国の正史に該当する。正史とは、国家が編纂した正式な歴史書のことで、したがって『日本書紀』の記事は、政府見解ということになろう。そして、当時の王朝が現在まで続き、歴代の政権が『日本書紀』を否定したことはなく、近代以降の日本政府も『日本書紀』を否定したことはない。それどころか『日本書紀』に見える神武天皇の記事を根拠に、建国記念の日を二月十一日と定めた。

よって、神武天皇即位がほんとうに紀元前六六〇年元旦だったかはさておき、千三百年前の政府が、そのように理解して正史に書き記した以上、それを正統として扱うことはむしろ当然というべきだろう。我が国の建国を祝う日は、二月十一日をおいて他に存在しえない。

また「建国記念の日」をいつにするかという議論は、現在の日本国がいつ建国されたのかという議論であり、それは明治維新やポツダム宣言受諾などによって国体が変更したかという憲法論と深いつながりがある。

明治維新のときは大政奉還により、政治権力が幕府から朝廷に返還されて維新政府が成立しているため、明治維新前後で、日本は国家としての連続性が認められる。明治維新前後で天皇の交代もなかった。

ポツダム宣言受諾についても、日本は国家を解体したわけではない。条件を受諾して停戦し、連合国による占領の後に独立国として復権したのだから、やはり国家としての連続性が認められる。このときも天皇の交代はなかった。

したがって、日本国の建国の日として、終戦でも講和でもなく、神武天皇即位にちなんだ二月十一日を選んだのは、賢明な判断だったと評価できる。

ところが、いくら建国を祝う日が「建国記念の日」として復活したとはいえ、学校での歴史教育を変えるには至らなかった。そして、学校で建国の歴史を教えなくなって六十年以上が経過した今、建国は日本人の意識からほとんど消えてなくなってしまったのである。

そのため、日本は建国を祝わない異常な国になってしまった。通常、国家にとって建国の記念日は、国を挙げて盛大に祝うものである。家庭でも家族の誕生日は祝うものであるように、会社や学校でも創立記念日を祝うのは、むしろ当然のことであって、まして建国を祝うのは世界の常識である。

たとえば、アメリカでは独立宣言が公布された七月四日が独立記念日で、フランスではフランス革命が始まった日とされるバスティーユ牢獄襲撃の七月十四日が建国記念日とされ、いずれも盛大な祝賀の式典が行われ、国民が揃《そろ》って建国を祝う。また中国では建国式典が行われた十月一日が国慶節という建国を祝う祝日とされ、この日を挟む約一週間が大型連休となるほど重視されている。

いずれの国も「建国」「独立」といわずとも、米国では単に「Fourth of July」（七月四日）といえば、それが独立記念日であることを誰もが知っている。フランスでは「Quatorze

Juillet」(七月十四日)、中国では「十一」(shí yī) といえば、同じく誰もが建国の記念日であることを理解しているという。

一方、日本では何月何日が「建国記念の日」であるかを記憶している人は少ない。二月十一日が祝日であることは知っていても、それが何の祝日であるかを知っている人もあまりいない。さらに、二月十一日がなぜ日本の建国を記念する日であるか、その意味を知っている人となるといよいよ皆無に近く、まして「二一一」と聞いて「建国」を連想する人はいなくなってしまった。

本来二月十一日の「建国記念の日」は、数ある祝日のなかでも、我が国にとって最も重要な祝日であるにもかかわらず、日本人がこれを祝わないばかりか、建国を祝う政府主催の祝賀行事も今は行われていない。日本は世界のなかでも建国を祝わない、おかしな国なのである。外国人がこの実態を知ったら、奇妙に思うことだろう。

神話を教えない民族は必ず滅びる

世界的な歴史学者として知られるアーノルド・トインビーは「十二、三歳くらいまでに民族の神話を学ばなかった民族は、例外なく滅んでいる」と述べた。終戦以降、民族の神話を教えなくなった日本にとって、この指摘は民族の滅亡を予言する恐ろしいものである。そして、これは占領政策の一環だった。

戦後、教科書に墨を塗らされたことから分かるように、日本は連合国の占領を受けたことで、教育の内容は大きく変更せしめられ、建国の歴史を教えなくなったばかりか、日本精神についても教えることができなくなった。

連合国が日本を占領した目的は一つしかない。それは、日本が将来に亘《わた》って二度と連合国に刃向かうことがないように「日本を骨抜きにすること」である。連合国は財閥や軍を解体したばかりか、日本人と神道の関係を断ち切り、建国と神話の教育をやめさせ、日本人の心のなかから日本人の精神を抹消しようとした。

占領が解除された後も、占領軍の意を受けた日本人が、その意識もないまま占領政策を忠実に実行しているのが今の日本の姿である。その結果が、中学の歴史教科書に如実に表れていると思う。

占領軍のやり方は巧妙だった。もし占領期間中に徹底して日本が解体されたなら、一億の日本人が竹槍を持って戦っただろう。天皇が廃止され、日本中の神社が解体され、あらゆる歴史的な史料や遺物が破壊されるのを、日本人が指を咥《くわ》えて眺めることはなかったはずだ。

そこで占領軍は百年がかりで日本を解体しようとしたのではないか。

「茹《ゆ》でガエル症候群」という言葉がある。カエルを熱湯に入れると熱くて飛び出してしまうが、カエルをぬるま湯に入れて徐々に熱すると茹であがるという。いきなり日本を解体しようとするとそれなりの反発があるが、百年がかりでゆっくりと日本を解体していけば、解体されつつあることに日本人は気付かないという作戦だったと思われる。

そして、占領軍は的確に痛いところを突いてきた。神話教育をやめさせたのは、すでにそれだけで、ゆっくり時間をかけて民族を滅亡させることになるからだ。これは、日本民族が百年殺しの刑にかけられたようなもので、危機が迫っていることに気付くことすら難しい。

現在の日本では、神話は非科学的なものとして、学ぶに値しないものであるかのように扱われている。しかし、それが近代国家の作法と思ったら大間違いである。近代合理主義の成れの果てとも思えるアメリカですら、ギリシア神話や聖書を軸としたキリスト教神話の教育を徹底している。アメリカでは聖書を知らないとジョークの意味も分からないという。神話をていねいに教えることは、近代国家でも常識とされている。

日本における神話の中心を担うのは『古事記』『日本書紀』である。そもそも記紀は、初代天皇の即位で国が成立したことの経緯を記し、建国の精神を後世に伝えていくために約千三百年前に完成した、国家が編纂した我が国最古の歴史書である。したがって、記紀を封印することは、おのずと、建国の歴史を風化させ、建国の精神を失わせることを意味する。

「まっとうな日本人」といえるには、最低限、国の成り立ちくらいは知っておくべきだろう。本書では、日本はいつどのようにできたのかを探究することで、日本の本質に迫っていきたいと思う。

第二章

憲法の根拠は『日本書紀』にあり

「神話は日常生活に直接関係がない」と思っている人が多いかもしれない。しかし、実際のところ、日本社会は『古事記』『日本書紀』を軸とする日本神話を基礎に成立しているのである。我々日本人は、日本人である以上、日本神話に拘束《こうそく》されない瞬間はない、といっても過言ではない。

我が国は文字のない時代に統一王権が成立し、その後、一度も王朝の交代なく現在に至る。文字のない時代の建国を知るためには、日本神話を避けて通ることはできない。そして、正史である『日本書紀』には「真実」が書かれていると理解され、そのことを前提として、現在の日本国家が成り立っている。日本国民として、最低限『日本書紀』と現代社会とのつながりを知っておくべきではないだろうか。

神話が社会の前提を構成していることは、欧米社会やイスラム社会を見ると一目瞭然である。本章では『聖書』や『コーラン』などの例を踏まえながら、日本人にとって神話にどのような意味があり、価値があるかを考察していきたい。

口伝によって語り継がれた日本の建国

日本各地には、古《いにしえ》より伝承されている数多《あまた》の神話がある。日本人が文字を使うようになると、それらの伝承の多くは文字に書き起こされ、また文字にならなくとも、口伝により伝えられてきた。近代以降は、口伝伝承の一部は民俗学の手法により記録されている。

口伝伝承に意義を見出せない人もいるだろう。しかし、口伝により伝承されることは、基本的なことや意義のあること、もしくは重要な事柄ばかりで、しかも、大方事実を反映していると考えてよい。口伝を非科学的であることを理由に否定してしまうと、たらいで洗濯をするときに、水と一緒に赤子を川に流してしまうことにもなりかねない。

たとえば自分の家に「先祖は東北から来た」「先祖は〇〇藩に仕える家老だった」などという言い伝えがあれば、それは事実である場合が多く、この点について嘘を伝える必要はないのだ。もちろん、多少の誇張はあるかもしれないが、口伝はそれ自体に学問的価値があり、その内容は事実を反映している場合があると考えなくてはならない。それは建国に関する口伝も同様である。

考古学の成果によると、日本列島に統一王権ができたのは遅くとも五世紀であり、その王権が畿内で一定の勢力を持つようになったのが遅くとも三世紀前期であるとされる。統一王権が成立したその時代は、文字のない時代であり、固有名詞や日付が伝わらない時代であって、建国の様子を記した一次史料が存在するはずはない。

しかし、文字がない時代に建国したからといって、まったく何も分からないわけではない。我が国の建国は長らく口伝により伝承されてきた。我々は口伝、もしくはその記録から日本の建国を知ることができるのである。

日本の建国は日本各地に口伝により伝承されていたところ、七世紀にはじめて国家によってそれらが文書にまとめられたのが『古事記』と『日本書紀』である（完成はいずれも八世紀）。記紀は、天武天皇の勅命により国家が編纂した歴史書であり、今に伝わっているもののなかでは我が国における最古の文書である。

記紀が国家により編纂された点は、重要な意味がある。記紀は個人が任意に書いたものと違い、最も公式な文書であって、そこに書かれていることは当時の政府の公式見解であることを意味するからだ。そして、現在の政府も『日本書紀』の見解を踏襲している。

当時の政府は現在の政府とまったく別物だと思う人もいるだろう。しかし、記紀を編纂した七世紀当時の政府から現在に至るまで、我が国は一度も王朝交代を経験したことがない。

現に、七世紀当時の天皇の子孫が、現在の天皇陛下でいらっしゃる。そして、古墳時代から現在の日本に至るまで、天皇の任命なくして太政大臣、関白、将軍、内閣総理大臣など、政治の最終責任者の地位に就いた者は一人もいない。もちろん、明治維新前後や終戦前後で統治機構を変更してきたが、国家の連続性が途切れたことは一度もないのである。

我が国の建国は口伝によって確実に伝承され、国家によって文字に書き起こされ、記紀に記録された。そして、歴代の政府がこれを正しいものと認識して現在に至る以上、我々は建国を考えるうえで、記紀を避けて通ることはできないのである。

千三百年間「正史」を編纂してきた稀有な国

国家が編纂した正式な歴史書は「正史」と呼ばれる。中国大陸ではいくつもの王朝が成立し、そして滅亡してきた。中国では王朝が滅びると、新しい王朝が前の王朝の正史を編纂する慣習があった。したがって、王朝交代を正当化するためか、正史においては末代の皇帝は暴君として描かれる傾向があった。

日本人になじみのある中国の正史といえば、『史記』や『三国志』が筆頭に挙げられるだろう。また日本のことが記されたものとしては、『漢書』地理志、『後漢書』東夷伝、『魏志』

倭人伝、『宋書』倭国伝などがあり、清朝が編纂した『明史』までの中国王朝の正史をまとめて「二十四史」という。

恐らく、古墳時代の大和王朝も、国が滅びた後に正史が編纂されることと思っていただろう。しかし、大和王朝は建国から何百年が経過しても国が滅亡する兆《きざ》しも見えない。そこで、ついに七世紀になって、自らの王朝史を自らの手によって編纂することにした。史料が散逸してしまうことも危惧されたことだろう。もし日本が中国同様に、正史は次の王朝が編纂するものと考えつづけていたなら、ヤマト王権成立以来、王朝交代のない日本は、いまだに正史を持っていなかったかもしれない。

『古事記』と『日本書紀』の違いは後に述べるが、いずれも国家が編纂した公式な歴史書であることに違いはなく、『日本書紀』の方が正史とされ、『古事記』は正史に準《じゅん》ずる歴史書とされている。『日本書紀』は天地《てんち》開闢《かいびゃく》から第四十一代持統《じとう》天皇までの記述があり、その後に続けて編纂された『続日本紀《しょくにほんぎ》』は第四十二代文武《もんむ》天皇から第五十代桓武《かんむ》天皇の御世《みよ》について記す。また続けて『日本後紀《にほんこうき》』『続日本後紀《しょくにほんこうき》』『日本文徳《もんとく》天皇実録』『日本三代実録』が編纂され、第五十八代光孝《こうこう》天皇までの事績が収録されている。これらの正史をまとめて「六国《りっこく》史《し》」という。

そして、その後は正史の編纂が中断したといわれるが、朝廷では天皇の代替わりがあると、先帝の事績を文書にまとめてきた。我が国の君主は天皇であり、朝廷が天皇の事績をまとめた文書は六国史同様に「正史」と呼んで差し支えないと私は考える。

天皇紀の編纂は明治維新以降も続けられた。『孝明天皇紀』は宮内省内に設置された先帝御事績取調掛が編纂したもので、続けて『明治天皇紀』『大正天皇実録』がこれまで編纂されてきた。そして現在は宮内庁書陵部が昭和時代の正史というべき『昭和天皇実録』を編纂している。

本来、天皇紀は公開が前提とされていない。現在までに全編が公開されたのは『明治天皇紀』までで、『大正天皇実録』は一部が公開されているが、『昭和天皇実録』に関しては、今のところ公開される予定はない。

このように、我が国は『日本書紀』以来、千三百年以上の長きに亘って、正史を編纂しつづけてきた稀有《けう》な国なのである。そして、建国について王朝自ら書き記したのが『日本書紀』だった。しかも、世界の常識によれば、他国の権利を害さない範囲において、正史や神話に書かれた記述は「真実」と見做《みな》される。

ちなみに「見做す」は反証があっても覆《くつがえ》らないことを意味する法律用語で、反証により覆る「推定する」と区別される。『日本書紀』は、正史であると同時に神話であり、そこに記される日本建国の物語は「真実」と見做されるのである。

神話は「真実」を語っている

『古事記』と『日本書紀』は、天武天皇の勅命により編纂された歴史書だが、同じ時代に二つの歴史書が編纂されたのには意味がある。二つの違いから想像すると、『日本書紀』は国外向けの公式なもの、『古事記』は国内向けだったのではないかと思われる。

『日本書紀』が完全な漢語（中国語）で書かれているのに対し、『古事記』は日本語の要素を活かして記述するための工夫として、表意文字たる漢字と、表音文字として日本人が開発した万葉仮名の両方を混合させた独特の文体で皇室の歴史を綴《つづ》ったものである。

後世に『古事記』を本格的に研究した江戸時代の国学者である本居宣長《もとおりのりなが》は、『日本書紀』には古代日本人の心情が表れていないことを述べ、『古事記』を最上の書と評価した。現代日本人は、公式な記述としては『日本書紀』を、また当時の心情を知るために『古事記』を用いるとよいだろう。日本の建国を理解するためには、記紀の両方に目を通しておきたいものだ。

戦前までは日本人なら日本神話は常識として知っていた。だが、戦後は非科学的であるとか、史実ではないといった理由で、読む価値のないもの、教える価値のないものとして封印されてしまった。それどころか、記紀の神話を積極的に否定する論調も目立つ。

神話や正史の記述は「真実」と見做されるものであると述べたが、『聖書』『コーラン』などで考えると分かりやすいかもしれない。神話に書かれたことは、史実であるかどうかはさておき、すべて「真実」と見做されている。神話が事実を語っているかどうかは、むしろどうでもよいことなのだ。そして、もし日本人がこれらを否定するなら、本来よほどの覚悟をしなければならないはずである。

確かに、世界の神話にはとても事実とは思えない記述も多い。たとえば『旧約聖書』には「天地創造神話」や「ノアの箱舟伝説」をはじめとし、とても事実とは思えない記述がある。また、『新約聖書』の「福音書《ふくいんしょ》」には、マリアが処女にして懐胎し、イエスを身籠《みご》る逸話があるが、ゾウリムシではあるまいし、人が単独で受胎するはずはない。

しかし、聖書学では『聖書』は史実を記した歴史書ではなく、当時の信仰を記した信仰書であると理解され、『聖書』の記述が史実であるかを問う論争は欧米社会には存在しない。すなわち、『聖書』の記述の史実性は興味の対象にもならないのである。史実性を追究するのは神話の読み方として間違っている。これは記紀についても同様である。したがって「神武天皇は実在しない」「天孫降臨は史実ではない」などという主張は「マリアには夫がいたはずだ」というのと同じだけ愚かな主張なのである。

このように一見とても史実とは思えない神話の記述にも、「真実」が含まれていることがある。たとえば、マリアの処女懐胎は、キリスト教社会にとって極めて重要な意味を持つ。それは第一に、神のお眼鏡に適《かな》ったマリアの純真さ、第二に、人間の女性を処女にて懐胎させる神の神通力、そして第三に、生まれてきたイエスが神の子であるということを担保しているのである。つまり、もしマリアの処女懐胎が嘘なら、イエスは神の子であることが否定され、キリスト教社会の大前提が崩壊することになる。イエスを神の子だと思っていた世界の一一億人は詐欺《さぎ》にあったようなことになってしまう。

『聖書』に誤りがないことは「聖書の無誤性《むごせい》」(Biblical Inerrancy) といわれる。これは、神は完全であるから、『聖書』は原典において神の言葉としてまったく誤りがないという考えで、この立場によると、『聖書』は歴史と科学の分野を含んで完全に正確であり、誤りの部分はないとされる。有名なものとしては一九七八年の「聖書の無誤性に関するシカゴ声明」が挙げられる。

このように、欧米社会では『聖書』に書かれたことはすべて「真実」と見做され、その上に社会が成り立っている。「真実」であることは「事実」であることよりも尊いのである。同様に、『日本書紀』も神話であると同時に正史であることから、無誤性があると考えなくてはならない。

神話を否定して殺された人も

では神話を否定するとどうなるのか。それは神話の上に成立する社会秩序に対して、挑戦状を叩きつけることになる。マリアの処女懐胎を否定した人が殺されたとしても何ら不思議はない。これまで、世界の歴史において、神話を否定し、または侮辱した人が命を落とした事例は枚挙に遑《いとま》がない。

かつてのキリスト教の価値観によると、神は全宇宙の中心に地球を創ったのであり、地球が動くことはないと考えられていた。そのため「地球は太陽の周りを回っている」というコペルニクスの地動説を唱えたガリレオ・ガリレイは宗教裁判にかけられた。結局、ガリレイは自説を撤回したことで死刑は免れることになった。十七世紀のことである。

しかし、同じく地動説を支持した哲学者のジョルダーノ・ブルーノのように、自説を枉《ま》げずに処刑されていった者もいた。ブルーノには二四に及ぶ罪状がかけられ、そのうちの一つには「マリアの処女性の否定」も含まれていたという。このように、教会の価値観に抵触《ていしょく》する意見は「異端」として厳しく弾圧され、排除されたのだった。宗教裁判で異端判決を受けて命を失った人の数は限りない。

現代でも宗教の冒瀆《ぼうとく》は御法度《ごはっと》とされている。一九八八年に発表された、英国の作家サルマーン・ルシュディーが、ムハンマドの生涯を題材に書いた小説『悪魔の詩』（原題：The Satanic Verses）は、英国で高い評価を受けるも、イスラム社会では冒瀆的であると受け取られ、激しい反発があった。小説の内容が、現代の出来事や人物に強く関連づけられていたことがその原因とされている。

イスラム各地で焚書《ふんしょ》が行われ、翌年にイランの最高指導者であるアーヤトッラー・ホメイニーは、著者と本の発行にかかわった者などに死刑を宣告し、日本円に換算して数億円に上る懸賞金がかけられた。同年、ホメイニーは死去するが、以降長年に亘って世界各地で暗殺事件が頻発《ひんぱつ》することになる。

日本では一九九〇年に邦訳『悪魔の詩』（上・下、新泉社）が発売されたが、九一年には翻訳者の五十嵐一《ひとし》筑波大学助教授が殺害される事件が起きた。イタリアとノルウェーでも翻訳者が重傷を負う事件が起き、そして九三年にはトルコ語翻訳者の集会が襲撃され、三七人が死亡した。

また、最近の例では、二〇一一年、米国のキリスト教会でコーランが焼かれる事件が起き、アフガニスタンでの騒乱に発展した。コーランを焼いたのはフロリダ州のテリー・ジョーンズ牧師で、二〇一〇年、同時多発テロ九周年の日に「殺人や性犯罪、テロの元凶となり有罪だと判断されれば、コーランは処刑の対象になる」という理由でコーランを焼却する計画を立てたが、世界中から激しい非難を浴びて中止した。

しかし、二〇一一年の三月になって『コーラン』を公開裁判にかけて有罪判決を下し、焼却するまでの映像をインターネット上に掲載した。その映像では検察側が「コーランは永遠の起源を持たず、神聖ではない」などと主張し、ターバンを巻いたイスラム教徒と思しき男性が弁護してみせたが、有罪判決とされた。

この事件は思わぬ事態に発展した。アフガニスタン北部の都市マザリシャリフで四月一日、一〇〇〇人を超す群衆が暴徒と化して国連事務所を襲撃し、一二人が死亡、二四人が重傷を負う惨事になったのだ。翌二日には南部など各地にも飛び火することになった。

この騒乱にあたりオバマ米大統領は「冷静になることが重要であり、すべての関係者に対して、暴力ではなく対話による問題解決を求める」と述べ、国連事務所に対する攻撃を非難した。ジョーンズ牧師はＡＦＰ通信に対し、アフガニスタンでの襲撃について「衝撃を受けた」としながらも、「責任があるとは感じない。行いも変えない」と語ったという。

神話や聖典を否定し、もしくは侮辱すると、その本人が意図していなくとも、このような国際的な事件に発展し、大きな犠牲を生むこともあるのだ。日本では軽々しく神話を否定し、侮辱する風潮があるが、世界の常識に照らし合わせると、極めて異常な状況にある。『日本書紀』は神話であると同時に我が国の正史であり、これを否定するなら、本来よほど慎重でなくてはならず、それなりの覚悟をすべきではないかと思う。

祝日の表を見れば国家の性格が分かる

日本人の多くはあまり意識したことがないかもしれないが、『聖書』や『コーラン』が、それぞれ欧米社会とイスラム社会の基礎を成しているのと同じく、『日本書紀』も日本社会の基礎を成している。

それを知るためには各国の祝日の表を見比べるとよいだろう。通常、祝祭日はその国家、国民、民族にとって最も意義の深い重要な記念日が充《あ》てられる。たとえば、米国の祝日の一

1月第3月曜日	Martin Luther King Jr.'s Birthday（キング牧師の誕生日） 公民権運動を指導したキング牧師の生誕を祝う日
2月第3月曜日	President's Day（大統領の日） ワシントンやリンカーンを称える日
イースター前の金曜日	Good Friday（聖金曜日） キリストが十字架にかかった日
春分後の満月の翌日曜日	Easter（イースター） キリストの復活祭
6月14日	Flag Day（国旗の日） 議会が国旗を制定した日
7月4日	Independence Day（独立記念日） 英国からの独立宣言を記念した日
10月第2月曜日	Columbus Day（コロンブスの日） 米大陸を発見したコロンブスを称える日
12月25日	Christmas Day（クリスマス） キリストの生誕を祝う日

米国の主な祝日と行事

※1月1日	元日	四方拝・歳旦祭（宮中祭祀）
※1月第2月曜日	成人の日	元服の儀（神道行事）
※2月11日	建国記念の日	神武天皇即位（『日本書紀』が根拠） 旧紀元節
※3月21日ころ	春分の日	春季皇霊祭（宮中祭祀）
※4月29日	昭和の日	昭和天皇の誕生日
※5月3日	憲法記念日	日本国憲法施行
※5月4日	みどりの日	昭和天皇の誕生日を「みどりの日」と定め、後に移動
※5月5日	こどもの日	端午の節句（神道行事、『続日本紀』『続日本後紀』に見える）
※7月第3月曜日	海の日	明治天皇が汽船で行幸したことを記念
9月第3月曜日	敬老の日	兵庫県多可郡野間谷村（現在の多可町）村長が提唱した「としよりの日」が始まりとされる
※9月23日ころ	秋分の日	秋季皇霊祭（宮中祭祀）
10月第2月曜日	体育の日	東京オリンピック開会式
※11月3日	文化の日	明治天皇の誕生日、旧明治節
※11月23日	勤労感謝の日	新嘗祭（宮中祭祀、『日本書紀』が根拠） 元来は旧暦11月2回目の卯の日
※12月23日	天皇誕生日	今上天皇の誕生日、旧天長節

日本の「国民の祝日」　　※は皇室と関係のある祝日

部を抜粋すると表のようになる。

ここから、米国が何を大切にしている国であるかが分かる。米国はキリスト教を中心とした国家で、米国民は新しい土地で自由の国を建てたことに誇りを持っていることが窺《うかが》える。祝日の多くが『聖書』に依拠していることに注意してほしい。

一方、イスラムの国のほとんどは、第十月の断食明け祭（イード・アル＝フィトル）と第十二月の巡礼祭（イード・アル＝アドハー）のイスラム二大祭を、最も重要な祝日としている。このことから、イスラムの国はイスラム教を中心に据えていることが窺える。そして、イスラムの祝日も当然『コーラン』に依拠している。やはり、キリスト教社会とイスラム教社会は、聖典である『聖書』と『コーラン』の上に社会が形成されているのである。

他方、中国は国慶節（建国記念日）が大型連休になる他、旧正月にあたる春節と、日本のメーデーにあたる労働節が連休となる。中国は労働者が国を建てたことを誇りにしていることが窺える。共産主義は神仏を認めないため、宗教や聖典に依拠した祝日がないのも、また中国の特徴がよく表れている。

日本の祝日の表を見ると、「敬老の日」と「体育の日」を除くすべての祝日が、『日本書紀』などの正史か、宮中祭祀《さいし》と神道、もしくは天皇を根拠としている。このことから、我が国は皇室と国民のつながりを最も重視している国であることが分かる。また日本国にとって最も重要な祝日である「建国記念の日」「勤労感謝の日」（新嘗祭《にいなめさい》）、「天皇誕生日」がいずれも『日本書紀』を根拠としていることから、『聖書』が欧米社会の基礎を成し、『コーラン』がイスラム社会の基礎を成しているのと同様、『日本書紀』が日本社会の基礎を成していることが分かる。

帝国憲法はいかなる原理で成立したか

日本国憲法は日本国家の最高法規たる基本法であり、あらゆる法令の上位に位置し、憲法に反する法令は無効となる。法治国家である日本のすべての法令は日本国憲法の秩序のなかで成立し、内閣総理大臣以下すべての閣僚と、すべての国会議員の地位は日本国憲法の秩序のなかで与えられたものである。その日本国憲法が成立している根拠が『日本書紀』であるといったら驚くだろうか。もしそうであるなら、『日本書紀』は日本社会の基礎を成していることに納得がいくだろう。以下、この点を検証していきたい。

日本国憲法が公布されたのは、昭和二十一年（一九四六）十一月三日のことである。公布したのは昭和天皇で、公布文にあたる「上諭《じょうゆ》」には次のように書かれている。

朕《ちん》は、日本国民の総意に基いて、新日本建設の礎が、定まるに至つたことを、深くよろこび、枢密顧問の諮詢《しじゆん》及び帝国憲法第七十三条による帝国議会の議決を経た帝国憲法の改正を裁可し、ここにこれを公布せしめる。（御名御璽《ぎよめいぎよじ》）昭和二十一年十一月三日（内閣総理大臣吉田茂、以下すべての閣僚の署名）

「上諭」から次の重要なことが読み取れる。
①日本国憲法を公布したのは昭和天皇であること。
②日本国憲法は大日本帝国憲法の規定に従って帝国議会の議決を経て改正されたものであること。
③昭和天皇が「深くよろこび」ながら日本国憲法を公布したこと。
④御名御璽とすべての閣僚の署名が揃っていることから、上諭が「詔《みことのり》」としての体裁を成していること。

公布とは、憲法および法令が法的効力を持つための要件で、公布の後に施行期日が到来すると、憲法および法令は法的効力を持つ。したがって、公布は憲法および法令が誕生するための最終段階といえる。また「御名」とは直筆の天皇の署名で、「御璽」とは天皇の印で、国家の実印に該当するものである。詔は、正式な手続きが踏まれ、御名御璽と政治の最終責任者の署名が揃っていることで成立するものである。

以上の点から、日本国憲法は大日本帝国憲法の秩序のなかで成立したものであり、その成立の根拠は帝国憲法にほかならない。「天皇の詔」により日本国憲法が公布されたことを押さえておきたい。

では、帝国憲法はいかなる原理により成立したか。帝国憲法は明治二十二年（一八八九）に明治天皇により発布された。天皇が黒田清隆総理に手渡す、欽定憲法の形式により行われた。「憲法発布勅語」の冒頭には「朕国家ノ隆昌ト臣民ノ慶福トヲ以テ中心ノ欣栄トシ朕カ祖宗ニ承クルノ大権ニ依リ現在及将来ノ臣民ニ対シ此ノ不磨ノ大典ヲ宣布ス」と書かれ、本文に続けて、御名御璽と総理以下すべての閣僚の署名が揃っている。

冒頭の文によれば、帝国憲法は、歴代天皇から受け継いできた天皇の大権により宣布されたものであることが分かる。帝国憲法も日本国憲法同様に「天皇の詔」によって発布された。したがって、帝国憲法の根拠は「天皇の大権」であり、その根拠はすなわち『日本書紀』だったのである。

日本国憲法第一条と記紀とのつながり

帝国憲法の第一条は「大日本帝国ハ万世一系ノ天皇之ヲ統治ス」と書かれているが、この条文を含む帝国憲法の草案を書き起こしたのは井上毅《こわし》という官僚だった。井上は、日本が成文憲法を持つにあたり、外国の憲法を借りてきたようなものではならず、伝統ある日本の国の体《てい》を表すものでなくてはならないと考えた。そこで井上がしたことは、『日本書紀』を読み込むことだったのである。特に第一条は日本の国のかたちを表す最も重要な条文である。井上は『日本書紀』が示す日本の国のかたちを第一条に端的に表現しようとした。

当初、井上は第一条を「大日本帝国ハ万世一系ノ天皇之ヲ治《シラ》ス所ナリ」と起草した。「シラス」というのは記紀の表現を借用したもので、天皇が広く国の事情をお知りになり、それにより国が自然と一つにまとまることを意味する。伊藤博文は分かりやすくするために「シラス」を漢語の「統治ス」に改めてしまったが、本来、天皇の統治とは、欧米でいう政治権力を行使する統治とは違い、存在することで自然と国が一つにまとまるという「静かなる統治」を意味するのである。伊藤は条文中の「統治ス」は「シラス」と同義として用いることを自身の著書のなかで述べている。

また「万世一系」の語を用いたのは井上のこだわりだった。本来、世界の常識でいえば憲法の条文に、情緒的、もしくは文学的表現は用いないものだが、井上はあえてこの言葉を用いた。案の定、審議の段階で外国の憲法学者から強い批判が寄せられたが、結局、伊藤はこの部分を守り通した。「万世一系」とは、神世《かみよ》から現在の天皇まで、一度も途切れることなく、一系の天皇が日本を治めてきたことを端的に表現する言葉である。したがって帝国憲法の第一条は、『日本書紀』が伝えようとした最も重要な部分をそのまま条文に書き起こしたものなのである。

ところで、憲法は成文憲法と不文憲法に分けられる。我が国は明治二十二年にはじめて成文憲法を持ったが、それ以前は成文憲法がなくとも、不文憲法があったはずである。そして、その不文憲法の中心を成すのが『日本書紀』だった。そもそも記紀の目的は、天皇の根拠を書き記し、後世に伝えることだった。帝国憲法が誕生するまでの千年以上の間、日本社会の基礎を成していたのが『日本書紀』であり、『日本書紀』の秩序のなかで「天皇の詔」という形式により、帝国憲法と日本国憲法が成立したことを確認しておきたい。

さて、先に、第一条は日本の国のかたちを表す最も重要な条文と述べたが、現在の憲法の第一条と記紀とのつながりも確認しておきたい。

天皇は、日本国の象徴であり日本国民統合の象徴であつて、この地位は、主権の存する日本国民の総意に基く。

天皇が日本国および日本国民統合の象徴であることは、ヤマト王権成立以来の天皇の普遍的なあり方を表している。そして、それが日本国民の総意に基づくということは、国民が皇室を二千年間守りつづけてきた事実を表現している。したがって、日本国憲法も帝国憲法と同じく、第一条は、天皇の普遍的なあり方を明文化したものであり、記紀の思想を受け継ぐものである。

『日本書紀』が否定されるとどうなるか

では、マリアの処女懐胎が否定されるとイエスが神の子ではなくなってしまうように、もし『日本書紀』をはじめとする日本の建国神話が否定されたらどのようなことになるか、次に考察してみたい。

もし『日本書紀』が嘘なら、天皇が天皇である法的根拠が完全に失われてしまう。天皇の地位は憲法が作り出したものではなく、憲法の前からあったものである。天皇の地位が成立したのは初代神武天皇即位のときであり、それも神武天皇が自ら望んで国を治めたのではなく、日の神の神勅により、即位したのである。そして、歴代の天皇はその皇位を引き継いで現在に至る。したがって、もし『日本書紀』が嘘で、日の神の神勅が嘘だったら、天皇が天皇である根拠が失われてしまうのである。

そうすると、祝日の根拠が失われるだけでは済まない。まず、天皇に任命された内閣総理大臣、衆参院両議長、最高裁判所長官をはじめ、閣僚以下の認証官は、全員その地位の法的根拠を失う。たとえば、総理は憲法第六条の規定により天皇の任命を受けたことをもって総理に就任するのであり、総理を任命する天皇の地位の根拠が失われれば、根拠のない天皇から任命された総理の地位の根拠が失われるのは自明の理であろう。

それだけではない。現在有効な日本のすべての法令は、憲法の規定に従い、天皇の公布により効力を持ってきた。日本国憲法自体も昭和天皇の公布により効力を発したのであり、天皇の法的根拠が失われれば、その天皇により公布された、憲法をはじめ、すべての法令の効力は失われることになる。

さらにいえば、憲法第七条が規定する天皇の国事行為の法的根拠が失われるため、国会議員の総選挙の施行の公示が無効になり、すべての国会議員もその地位の法的根拠を失う。また、日本国が諸外国と締結してきた条約と外交文書もその効力を失い、国会を開会することはできなくなり、衆議院を解散することも、選挙を行うこともできなくなる。

『古事記』『日本書紀』を軸とする日本建国神話が、好き嫌い、知不知にかかわらず、日本社会全体の基盤となっているのは事実なのである。神話が「真実」を語っていることの意味はそこにある。日本人は、日本人である以上、一分一秒たりとも正史『日本書紀』に拘束されない瞬間はない。

第二章

神武天皇の否定は初歩的な誤り

本書はこれまで、学校の教科書に日本の建国に関する記述がないことの問題点を指摘し、また建国について語られた『古事記』『日本書紀』の記述が真実であることを述べた。では、我が国はいつ、どのようにして建国したのか。日本人なら最低限、このくらいのことは知っておくべきだと思う。

しかし、我が国の建国は、日本人が文字を使いはじめる前の出来事であるため、建国の経緯とその詳細を知ることは難しい。文字を使わない時代は、日付や固有名詞が伝わらない時代である。王権の存在は古墳や遺跡の遺構などから確認することができるも、建国の詳細を語る一次史料が存在しない。したがって、毛沢東が中華人民共和国の成立を宣言し、また米国が独立戦争を経て独立を手にし、そしてフランスの民衆が革命によって王朝を倒して自由の国を立ち上げたような、建国の詳細は一次史料を通じて伝わらないのである。

だからといって、それは、かつて日本が建国しなかったことを意味しない。また、日本人が建国について知らなくてよいということにもならない。創立されなかった会社が現存しないように、現在、日本国がこうして立派に存在しているのであるから、歴史を遡《さかのぼ》れば、いつか必ず建国に行き着くはずである。現存する世界最古の国家がどのように成立したのか、本章では日本建国の謎に迫る。

学者たちは建国をどう評価しているか

一つの事柄について、学界ごとに評価が異なることはよくある。たとえば、前章で話題にした、地動説を述べるも自説を撤回して死刑を免れたガリレオ・ガリレイと、自説を撤回せずに処刑された哲学者のジョルダーノ・ブルーノは、科学の分野ではその功績が高く評価されたが、神学の分野では異端と扱われてきた。

これまでに示してきたように、歴史学と考古学は別の学問で、学問的手法は根本的に異なり、別々の学問体系を築いてきた。一つの事柄について、歴史学と考古学では必ずしも同じ評価をするとは限らない。そして、それぞれの学問的成果に矛盾が生じることがあっても、何ら不自然ではないのである。

考古学は文字が使われる前、すなわち有史以前を主な研究範囲として始まった学問で、それに対して、歴史学（文献史学）は文字を研究の中心に置くため、文字を使う時代を主な研究範囲としている。しかし、有史以降であっても、考古学の手法を用いて、文字だけでは分からなかった様々な事柄を知ることができるため、考古学の守備範囲が拡大する傾向にある。近年は考古学の手法を用いて、幕末や近代も発掘調査の対象とされるようになった。

その一方で、文字のない時代のことであっても、口伝により多くの事柄が伝わり、『古事記』『日本書紀』や『風土記』などをはじめとする文書に文字として書き留められている。考古学の発掘調査の結果が記紀の記述と一致した、という報道もしばしば耳にする。よって、歴史学と考古学は上下関係にないだけでなく、対立する関係にもない。両者は、真理を探究する学問の世界にあって、お互いが補完し合う関係にあると考えるべきだろう。二つの学界が相互に情報を交換しはじめてまだ日は浅いが、これからの成果が期待される。

建国について、歴史学は主に記紀を中心に考察してきた。記紀は現存する最古の歴史書であり、なかでも『日本書紀』は正史という特別の性格を持つ文書であることから、記紀が建国に関する研究の中心になるのは自然なことであろう。戦後の歴史学において、主に記紀に対して厳しい文献批判を加え、どの記述が史実たりうるかの議論が続けられてきた。

歴史学者である津田左右吉《そうきち》は記紀の記述のなかで、第十四代仲哀《ちゅうあい》天皇以前には天皇の系譜を含めて史実と呼べる部分はなく、日本民族あるいは国家の起源について知るためにはまったく史料価値を持っていないと述べた。この結論は、日本古代史上の成果とされ、今日では通説的理解となっている。ところで、そのような文献批判の結果、口伝を記した文書を全否定すること自体が、むしろ科学的でないことは、前章で述べたとおりである。

また、考古学では、三世紀から七世紀初頭までの政治史研究について、前方後円墳を中心とする墳墓の分析を主体とする。墳墓は個人を埋葬したものだが、これを研究することで、当時の社会が個々人をどのように扱ったかを知ることができ、この積み上げによって、時代ごとの社会の構造が明らかになると期待される。

考古学によると、巨大前方後円墳は後に天皇と呼ばれることになる大王の墓で、当時のヤマト王権は後に大和朝廷へと発展し、日本列島の大半を統治する古代国家となると理解され、この基本認識は戦前・戦後を通じて維持されてきた。

このような歴史学と考古学における認識を活用して、ある意図をもってまとめられたのが、日本の歴史教科書である。表面上は科学的な筆致で描かれるも、我が国の建国の経緯は完全に抜け落ちていて、建国を説明しようとする姿勢すら見えないものであることは、すでに述べたとおりである。

日本国の歴史はどこまで遡れるか

正史『日本書紀』の記述によると、初代神武天皇の即位は西暦に換算すると紀元前六六〇年に該当し、このときが日本建国であるとされる。欧米のキリスト教社会が、『聖書』の記述を真実と考えるように、日本の神学（神道学）の立場でも、『日本書紀』のこの記述は真実であると見做す。また、日本国憲法の根拠は遡ると『日本書紀』に行き着くこと、また『日本書紀』が正史であることなどから、憲法学の立場からしても正史が語る建国の記述は、やはり真実と見做すべきだろう。それに対して歴史学と考古学の立場からは、『日本書紀』の記述は事実ではないとする見解が述べられてきた。

では、学界間で争いのないところでは、日本国の歴史はどこまで遡ることができるのだろう。武家政権成立（平安時代後期）と幕末維新、大戦終結などにおける国家の連続性については議論があるが、ひとまずこれを脇に置いてみると、まず、我が国の建国を遅くとも七世紀後半の律令国家成立まで遡れることに学界の異論はない。ところで、律令国家から現代日本につながる国家の連続性については第一章でふれたが、詳しくは拙著『旧皇族が語る天皇の日本史』（PHP新書）のそれぞれの箇所で考察しているので、参照していただきたい。

ここから先は国家の定義によって考え方が異なってくる。つまり、律令国家成立の七世紀後半以降が国家、もしくは統一王権ができた四世紀以降が国家であって、古墳時代に巨大前方後円墳を造ったのを「国家」とは定義しないとの主張があるためである。本書では四世紀に統一王権に成長した国を「大和朝廷」、それより前の統治機構を「ヤマト王権」と区別して表現する。また、国家の定義によってはヤマト王権も国家に含める考え方もある。

ところで、「大和朝廷」と「ヤマト王権」の用語についてもう少しふれておく必要があろう。『日本書紀』の価値観によれば、律令国家成立以前の大和地方を本拠とする統治機構はひとくくりに「大和朝廷」と定義する。しかし、本書は歴史学と考古学の両分野にまたがって建国を論じる意図を持っているため、考古学の用語として、諸官制が整う前の、中央集権的政府が整備される前段階の統治機構を「朝廷」とせずに「王権」と呼ぶことに鑑《かんが》み、統治機構について、統一前を「ヤマト王権」、統一以降を「大和朝廷」と称して区別するようにした。

ここで確認したいのは、国家の定義そのものではなく、ヤマト王権（古墳時代前期）が発展したのが大和朝廷（古墳時代中期以降）であるという事実である。その後、古墳時代から飛鳥時代への時代区分の名称の変更は、政変などが起きた結果ではなく、王朝の交替は認められない。大化二年（六四六）の大化の薄葬令《はくそうれい》により、天皇以外の豪族は巨大古墳を造営することが禁止され、また仏教伝来以降は豪族たちが好んで氏寺を建立した結果、古墳文化が衰退したこと、また都が飛鳥の地に置かれたことなどから、古墳時代を改めて飛鳥時代としているのである。そして、律令国家成立にあたっても、学問的に王朝交代は認められない。

さらに、古墳時代を通じての期間と、飛鳥時代の壬申《じんしん》の乱までの期間を合わせて、大規模な戦争の存在は文献に限らず、考古学の成果からも確認することはできない。それどころか、局地的な反乱と豪族単位の小競り合いを除けば、古墳時代から飛鳥時代の壬申の乱までの期間は、むしろ戦争のない平和な時代だったことが分かっている。しかも、この時代は文化的にも一定の方向に発展している。古墳時代から飛鳥時代にかけては、政治と文化の両面において、安定し発展した時代であった。このことについて、学界に異論はない。

ところで、私は、ヤマト王権は国家と定義しても差し支えないと考えている。ヤマト王権が大和朝廷の母胎であるからだけではない。古墳の造営については後に詳しく述べるが、巨大古墳の造営には莫大な人数の労働者を広い地域から集める必要がある。巨大古墳の存在は、一定の領域を統治し、人員を集めて管理することができる統治機構が存在していることを示すものである。三世紀前期に巨大古墳をいくつも造営していることから考えて、纏向遺跡の出現の時点で、ヤマト王権を国家とすべきだと思う。

また、律令国家の成立まで国家の存在を認めない説もあるが、律令国家成立前の推古天皇の時代には、すでに政治制度が存在していて、摂政が置かれていた他、冠位十二階が制定され、十七条憲法が示され、さらに遣隋使を派遣して「日出づる処の天子……」で知られるように、中国王朝に対して対等な外交を試みたのであり、これらを国家の作用といわずに何というのだろう。

それでも、ヤマト王権を国家と認めない立場に立ったとて、これを国家類型の一つとして認めない学者はいないない。よって、明らかに国家としての断絶が確認できない限り、連続性を前提とするのは当然であろう。

したがって、ヤマト王権を国家とするか国家類型とするかといった、国家の定義の議論はともかく、日本国の建国を考えるにあたり、ヤマト王権成立まで遡って考えることは、極めて科学的であり、学問的である。ここまでは、学問の隔《へだ》たりを超えておおむね共有できることだと思う。ではヤマト王権成立はいつか、次に検証していきたい。

異論なく遡れるのは纏向遺跡まで

三世紀前半から七世紀末までの古墳時代は、文字どおり日本列島各地で多くの古墳が造られた時期である。なかでも巨大古墳はほとんどが前方後円墳という、上から見ると鍵穴の形をした特徴的な古墳だった。古墳時代を通じて造営された前方後円墳は約五二〇〇基で、北海道、東北北部、沖縄を除いた日本列島全体に分布している。

五世紀に造営された埼玉県の稲荷山古墳と、熊本県の江田船山古墳から出土した鉄剣と鉄刀の銘に雄略天皇を示す「獲加多支鹵大王《わかたけるおおきみ》」の文字が見えることから、ヤマト王権は、この時代までには関東から南九州に至る日本列島の大半を勢力範囲としていたことが分かる。

古墳時代に造られた仁徳《にんとく》天皇陵は、世界最大の墓である。墳丘の長さは四八六メートル、体積は一四〇万立方メートルという大きさで、三三三メートルの高さの東京タワーを寝かせて並べても、仁徳天皇陵の墳丘の長さがはるかに上回ることが分かるだろう。盛り土の体積は、一〇トントラック二七万台分に相当する。また、二重周濠《しゅうごう》と外堤を持ち、外堤まで含めると長辺八四〇メートルの巨大な墓域となる。

大林組が一九八五年に行った試算によると、現在、古代の工法で仁徳天皇陵を建設した場合の工期と費用は、多い日で二〇〇〇人、延べ六八〇万七〇〇〇人を動員して、十五年八カ月の工期がかかり、工費は七九六億円に上るという。これは貨幣価値でいうと関西国際空港に相当する。ただし、この試算は二重目の濠までで、また埴輪《はにわ》の製作も除外されているため、さらに大きなプロジェクトだったと思われる。実際には、高さ一メートルにも及ぶ大型の円筒埴輪が六万本並べられていた。

ところで、朝鮮半島最大の古墳は、新羅の都、慶州に残る五世紀の王陵である皇南大塚古墳で、王と王妃の円墳が合体した古墳の長さが一一〇メートル、高さは二二メートルである。これと比べると、仁徳天皇陵の大きさが桁外れであることが理解できるはずだ。

日本列島では、墳丘の長さが三〇〇メートル以上の前方後円墳が七基、二〇〇メートル以上が三五基、また一〇〇メートル以上の古墳が三〇二基（うち二九一基が前方後円墳）確認されている。日本列島のような狭い空間に、しかも短期間のうちに、夥《おびただ》しい数の巨大な墓が

仁徳天皇陵
（提供：国土画像情報〈カラー空中写真〉国土交通省）

纏向遺跡の箸墓古墳
（提供：桜井市立埋蔵文化財センター／PANA）

造営されたことは世界史上、類を見ない。これは日本国史の大きな特徴の一つといえよう。

二〇〇メートル以上の前方後円墳三五基のうち、三二基は畿内に集中していて、そのなかでも巨大古墳がはじめて現れたのが纒向遺跡だった。最古の巨大古墳は、三世紀中期に造営されたとされる纒向遺跡の箸墓《はしはか》古墳で、大きさは約二九〇メートルを誇る。纒向遺跡にはそれ以前の三世紀前期に九〇メートル前後の前方後円墳が五基造られている。三世紀前期の巨大古墳の出現こそが、ヤマト王権成立のサインと考えてよい。

よって、我が国の建国は、差し当たり、三世紀前期に奈良県の三輪山の麓にある纒向遺跡で、巨大前方後円墳が造営されたときまで遡ることを確認することができた。ここまでは歴史学と考古学の両学界も認めざるをえないだろう。ヤマト王権は三世紀前期までには王権の基盤を成立させ、その勢力はやがて大和朝廷に発展し、その後、現在まで王朝交代は一度もないのである。つまり、ヤマト王権の成立は最も遅く見積もっても約千八百年前ということになる。

しかし、王権が成立した途端に九〇メートル級の古墳を五基も造営できるはずはない。実際の王権の成立は三世紀前期からさらに百年や二百年、場合によっては数百年遡ると考える必要がある。ここから先は王権の存在を物語る史料は確認されないため、共通の認識を形成することはできないが、私は王権の基盤が整ったのは今から二千年以上前と考えている。また、ヤマト王権の前身となる一地方政権の王が成立した時期なら、『日本書紀』が記述する二千六百年以上前でも何ら、おかしくはない。

記紀が記す神武天皇即位の地は、同じ奈良盆地でも、畝傍《うねび》山の麓の橿原宮で、纏向遺跡とは地理的に離れている。三輪山に祀《まつ》られている大物主神《おおものぬしのかみ》が天《あま》つ神《かみ》の系譜でないことと、その祭祀は天皇の一族ではなく、大物主神の子孫とされる氏族が担ったことを考えると、神武天皇即位の地は、纏向遺跡とは考えにくい。やはり記紀が記すとおり、神武天皇の宮は橿原に営まれ、後に三輪山周辺の勢力を統合し、本拠を移したと考えるのが自然だろう。であれば、なおのこと、神武天皇の即位は三世紀前期から遡ることになる。

教科書に一度も紹介されない神武天皇

さて、文献史学の学者が好んで攻撃をしてきたのは記紀が記す、初代の神武天皇の実在性である。まず『古事記』が神武天皇東征をどのように描いているかを確認しよう。

高天原《たかまのはら》を統治する日の神の子孫である神倭伊波礼毘古命《かむやまといわれびこのみこと》は、兄と共に南九州の日向《ひむか》を出立し、東を目指す。途中九州と中国地方の何カ所かで滞在しながら進み、長い年月をかけて大阪湾に辿り着くが、登美能那賀須泥毘古《とみのながすねびこ》との戦いの傷がもとになって兄が命を落とす。そこで伊波礼毘古命は経路を変えて紀伊半島の南から上陸して大和の地を目指すことにした。途中で多くの豪族たちが恭順の意を表すも、いくつもの戦を経て連勝を続け、最後には反抗勢力はいなくなり、畝火《うねび》の橿原宮（畝傍山の東南の地）にて初代の天皇に即位した、と語られている。伊波礼毘古命は後に神武天皇と称されることになる。

戦後、盛んに「神武天皇は伝説上の人物で実在しない」といわれ、今やこの考えが通説になって浸透している。ほとんどの中学の歴史教科書に、神武天皇の名が一度も紹介されないのもその影響による。

本書がこれまで述べてきたように、記紀が記す神話は「真実」が記されているのであって、必ずしもすべてが「事実」だったとは限らないのであり、もし事実でない記述があったとしても、それによって神話自体の真実性が失われることにはならないはずだ。したがって、神武天皇の実在性にかかわらず、歴史の真実として考えなくてはいけないと思う。しかし私は、日本神話が記述する神武天皇の物語は真実であるだけでなく、史実であるとも考えている。

その理由は後に述べることとし、まずはここで、神武天皇が実在しなかったことの根拠として示される主な点を検証してみたい。まず記紀が記す神武天皇に関する記事には非科学的でとうてい事実とは思えないものがあるため、神武天皇の存在自体が疑わしいと指摘される。たとえば、『古事記』には神武天皇が百三十七歳まで生きたことや、東征にあたり、天から授けられた霊剣が勝手に敵をなぎ倒していく場面なども描写されている。

次に『日本書紀』の記す年代をそのまま信用すると、神武天皇の即位は紀元前六六〇年となり、ヤマト王権の成立が確認できる三世紀前期よりもかなり早い時期になるため、年代が合致しないとの主張もある。これは、記紀編纂者が天皇の権威を高めるために、天皇の成立を実際よりも早く書くことで、天皇の統治の時代の長さを強調しようとした結果、作り出された物語に過ぎないという考えである。

これらの主張は、一見合理的で納得のいくようなものに見える。しかし、挿話の一部が非合理であるからといって、すべてを否定するのは、およそ学問的な文献批判ではない。もし、非合理な記述が実在しない証拠となるなら、王妃マーヤーの右の脇腹から生まれてすぐに七歩歩み、天地を指して「天上天下唯我独尊」と宣言した釈迦や、処女にて懐胎した聖母マリアから生まれたイエス・キリストは実在しなかったことになってしまう。

非合理な記述があれば、その部分だけ読まないというのが学問的に正しい接し方なのである。もし神武天皇が百三十七歳まで生きたのがおかしいなら、その部分は無視すればよいだけの話だ。

非合理な記述から導き出された結論は非合理であるはずだから、「百三十七歳まで生きた」という非合理な記述を信じて導き出された「神武天皇は実在しない」という結論は、理論的には非合理である。つまり、その結論は、百三十七歳という部分は正しい認識で書かれたことを前提とした結論である。これは嘘つきが「自分は嘘をついている」といったときのパラドックスと同じである。

邪馬台国論争でも、『魏志』倭人伝が記すとおりに辿ると邪馬台国の位置は洋上となるため、どこかの記述が誤っているはずだと、さんざん議論をしていたではないか。もし、神武天皇を否定するのと同じ方法で読むなら、経路に誤りがあれば、それだけを理由に邪馬台国の存在そのものを否定しなくてはなるまい。

記紀の非合理な記述を理由に神武天皇を否定するのは、文献批判の手法の初歩的な誤りというべきだろう。神武天皇は少なくとも我が国の正史『日本書紀』に書かれた、現在に踏襲されている政府見解である。したがって、もしこれに疑問を挟むなら、それなりの根拠を示すべきであり、それこそ、その根拠は合理的であるべきだ。

創業者がいない会社はない

記紀の神武天皇東征伝説を科学的に読もうとしたら、非合理な部分は史実ではない可能性があると考えるも、やがてヤマト王権を成立させる勢力が南九州から東に移ってきた点などには、一定の史実性を見出すことができる。

記紀神話が口伝を文字に書き起こしたものであり、口伝こそ信憑性があることは前章で述べたとおりである。「人の噂も七十五日」といわれるなかで、長年語り継がれることは、重要なことを確実に語り継いでいきたいとの意志が働いた結果に違いない。もちろん誇張や誤りが含まれる場合があるが、そのなかには一定の史実が含まれていると考えるべきである。

また、記紀編纂者が、ただ天皇の権威を高めることを主軸にとらえていたなら、天孫降臨の地は三輪山にすればよかったはずだ。そのほうが、大和の本拠地を最大限に神聖化することができたろう。ではなぜ天孫降臨の地は南九州で、神武天皇の東征を書いたのか。それは、王権のきっかけが九州から畿内に移動したのが史実だったからだ、と私は見ている。

企業でも学校でも、二代目の名前は知られていなくても、初代の名前や功績は確実に語り継がれていくものである。たとえば、米国の初代大統領がジョージ・ワシントン、中国の初代国家主席が毛沢東であることは知っていても、二代大統領がジョン・アダムズで、二代国家主席が劉少奇《りゆうしようき》であることを知っている人は少ない。最も古い時代の記憶であるにもかかわらず、初代の功績は人々の記憶に残るのである。

日本の建国もこれと同様で、王権成立のきっかけとなった勢力がどこからやってきて、どのような経緯で王権が成立したか、文字のない時代の人々に強烈な記憶として残り、このような重大な事柄は口伝によって継承されてきたと考えるべきだろう。そして、後に七世紀になって口伝伝承を文字に書き起こしたのが記紀神話なのである。

記紀には歴代天皇の埋葬に関する記事があるが、記紀編纂時にはすでにそれらの陵墓が存在していたと思われる。もし記紀に実在しない天皇が書かれていたなら、陵墓も後世になって捏造《ねつぞう》されたことになり、虚偽の陵墓が記紀編纂当時から認知されていたとは、とうてい思えない。

しかも、『日本書紀』の天武元年（六七二）の記事に、壬申の乱で神武天皇陵を拝ませたとある。とすれば、六七二年の時点で神武天皇の実在は信じられていて、そのうえ神武天皇陵まで存在していたはずだ。存在しない陵墓を拝ませることはできないからである。

これまで、神武天皇の実在性についてくどくどと説明をしたが、本来的には次のひと言で簡単に片づく問題なのだ。すなわち、神武天皇の本質は初代天皇であることに尽きる。したがって、現在の日本に天皇陛下がおいでになるのであるから、必ず初代があったはずである。初代が実在しないのに、十代も百代もない。いったい、どこに初代大統領がいない国や、創業者のいない会社があるというのか。初代は実在したに決まっているのであり、神武天皇は実在していたというのが最も科学的・合理的な考え方なのである。

また、私は支持しないが、第十代崇神《すじん》天皇や第十五代応神《おうじん》天皇を初代天皇とする学説もある。もしそれが正しくても、それは、崇神天皇や応神天皇が神武天皇だったことが分かるだけの話で、やはり、神武天皇が実在しなかったことにはならない。

よって、「神武天皇は実在したか」という命題には議論の余地はない。議論が可能なのは「神武天皇はいつの時代か」という点でしかない。

神武東征と国譲りを彷彿とさせる前方後円墳

では、神武天皇東征伝説と纏向遺跡の前方後円墳はどのように理解したらよいのだろう。神話と考古学を結び付けて考えることは常に困難を伴うが、近年の考古学の研究の結果、神話との整合性がとれる兆しが見えはじめた。

纏向遺跡の前方後円墳は今のところ、ヤマト王権発祥の地とされるため、神武天皇から第十二代景行《けいこう》天皇にかけて知るための重要な要素である。その纏向遺跡の前方後円墳について、最近の考古学の研究成果により、吉備（岡山県を中心とした地域）と北部九州の影響が濃いことが分かってきた。

弥生時代の環濠集落が消えて巨大古墳が造営されるようになったのは防衛施設である環濠が不要になった結果で、その背景には、戦乱の世が終わり、緊張関係のない平和な世の中が訪れたことが影響していると考えられる。

そして、纏向の前方後円墳は吉備と北部九州の様式を強く踏襲していることから、古墳の造営には西日本の豪族たちの力が投入されたと見える。

具体的には、大和や近畿の弥生時代後期の段階には、前方後円墳につながるような形をした墓はなく、その他の細部を含めて、大和周辺で自然発生的に、あるいは発展的にできたものではない。立地環境は大和独自のものであるが、それを除けば、北部九州と出雲、吉備などの要素が多く、大和独自の要素はむしろ少ないといえる。礫《れき》の積み方、副葬品の組成、葺《ふき》石《いし》の様子などは他の地域の影響によるもので、特に吉備の影響が強い。その一方で、盛り土の高さ、周濠の存在、埋葬施設が単一になる点、北頭位などは纏向の前方後円墳で新しく採り入れられ、後に発展していく特徴である。

ヤマト王権の成立は、考古学の世界ではおよそ次の三つの学説が主張されてきた。第一に、ヤマトが主導して王権が成立した。第二に、吉備とヤマトの連合政権。第三に、伊都国《いとこく》が東遷してきた。もしくは吉備、筑紫、ヤマトなどによる多元的連合政権。

纏向の古墳に西日本の様式が色濃く反映されている点を考慮すると、第一は否定されるだろう。そして、吉備の影響は強いものの、北部九州の影響も少なからず見られることから、第三の多元的連合政権であると考えるのが妥当ではないかと思う。そして、その考え方は記紀の神武東征伝説だけでなく、話し合いによって国が統合されたという国譲り神話とも重なるものである。

神武東征伝説は、九州南部から近畿にかけての地域を平定しながら進められたことを物語っていて、ヤマト王権は西日本の豪族が束ねられ、そこに大和地方の豪族が加わるかたちで成立し、その中心地を畿内に置いたことと一致する。そして大和地方の人々が中心となり、他の地域の勢力の力を借りながら造ったのが纏向の巨大前方後円墳だったのではないだろうか。

また『後漢書』東夷伝は、二世紀後半に倭国大乱があったと伝えているが、この時期に瀬戸内海を中心に、防衛を考慮したと思われる高地性集落遺跡が集中していることと符合する。そして、これらの高地性集落遺跡は、九州の勢力の東征に備えるために造られたと考えられ、神武東征を彷彿《ほうふつ》とさせるものである。

では、なぜ本拠を畿内に置いたのか。それは、畿内、特に大和地方が東西南北に通じる交通の要所であり、その地の利を活用するためだったのではないか。実際に纏向遺跡からは、北部九州から南関東までの全国の広い地域の土器が大量に見つかっている。

そして、そのことは『古事記』が記す神武天皇の東征の目的だった。すなわち、伊波礼毘古命が兄に語った「いったいどこに住めば、平和に天下を治めることができるのでしょうか。東に行ってみませんか」との言葉に象徴されている。明治時代に都が関東に遷《うつ》るまでの千六百年間、都が置かれていたことから、畿内は都に適した地だったことが分かる。

考古学が炙り出す古代王権の姿

平成二十一年（二〇〇九）秋、纏向遺跡の発掘調査で、東西主軸線を合わせた大型建物を含む四棟の掘立柱建物群が発見された。全体で一万五〇〇〇平方メートルに及ぶ巨大な施設があったことが分かり、これは王権成立の一つのサインと評価されている。これまで纏向遺

纒向遺跡の導水施設（提供：時事通信）

跡から王の居館と見られる遺構は確認されていなかったため、この発見により、纒向遺跡のヤマト王権の都としての姿がはじめて浮かび上がったことになろう。

居館域における最大の建物は床面積二三八平方メートルで、三世紀中ごろまでの建物遺構としては国内最大の規模である。居館域の調査について桜井市教育委員会は次のような説明をしている。次にいくつか紹介したい。

「これらの建物や列柱（柵）群は構築された時期やその廃絶も期を同じくするものとみられ、一連の遺構は明確な設計図に基づいて、強い規格性をもって構築されたものと判断される」

「三世紀前半代に纒向遺跡の中心的な人物がいた居館域であったと考えてほぼ間違いないと思われ

る」

「このように複雑かつ整然とした規格に基づいて構築された建物群の確認は国内でも最古の事例となるもので、これまでに判明している弥生時代の大型建物などとは完全に一線を画する構造をもつもの」

「いまだ明らかにされていない飛鳥時代以前の大王や天皇の宮などの原型があると考えられる」

そして、纏向遺跡の居館域を探る調査は「わが国の国家の形成過程を探るうえできわめて重要」とも述べている。発掘に携わった人たちの興奮が伝わってくるようだ。

この発掘調査についてメディアは「邪馬台国の中枢か」「卑弥呼の宮殿か」などと、当然のように纏向遺跡を邪馬台国の都であるかのような報道をした。特に平成二十二年（二〇一〇）に行われた第一六八次調査では、建物群が廃絶した直後の三世紀中ごろに掘られた大型土坑を検出し、ミニチュア土器、木製品、竹製の籠《かご》、獣骨、モモの種などの大量の遺物を掘り出した。モモの種の出土は二〇〇〇個を超え、「卑弥呼が行った鬼道に関係する魔よけの果実か」などと報道され、『魏志』倭人伝に登場する「鬼道」との関連が注目された。

しかし、「邪馬台国」と「卑弥呼」は中国の文書にたった一度登場しただけで、日本側の史料には見えないため、古代王権を語る場合に当然のようにそれらを絡めて語る必要はない。邪馬台国が後の大和朝廷に発展した可能性がある一方で、統一国家形成期に滅ぼされた一地方政権である可能性もあることはすでに述べた。あまりに史料が少ないため、これ以上のことを知ることは恐らくないと思われる。日本の国史を論じるうえでは「邪馬台国」と「卑弥呼」は完全に無視して差し支えないと思う。

分からないことを「分からない」という勇気

日本は現存する世界最古の国家であるため、建国の経緯は相当に古い時代に遡り、しかも文字がない時代の出来事であるから、有用な史料は限定される。日本と中国のわずかな文献の他、前方後円墳や遺跡の発掘調査の結果などしか、当時の状況を知る術《すべ》がない。そのため、日本の建国を論じること自体が本質的に困難を極める。しかし、だからといって、日本が建国しなかったことにはならない。先述のとおり、遅くとも三世紀前期までにはヤマト王権の基礎はできあがっていたというのが、確認された史実である。

日本における考古学はまだまだ発展途上で、纏向遺跡の前にその母胎となる勢力が存在していたかどうか分からないだけでなく、纏向遺跡がなくなった後に、その都がどこに移動したかもまったく分かっていない。だが、分からないことは、無理に理屈をつけて理解するよりも、分からないまま放置しておくのが正しい考え方ではなかろうか。

終戦後の我が国には科学的に説明されないことを信じない風潮が蔓延《まんえん》し、それゆえに記紀を蔑む傾向があるが、記紀の記述自体が真実であって、社会の基礎を成しているだけでなく、その記述には一定の事実が含まれている場合がある。まして、纏向以前とその後の四世紀の事柄は記紀以外に何の史料もないのであるから、記紀を中心にとらえる以外、古代王権を認識することはできない。

したがって、記紀が非合理であると完全に否定するのではなく、歴史学と考古学が記紀を補完しながら立体的に建国をとらえていくべきだと思う。ただし、学問分野を超えて考えなくてはいけない部分と、学問分野を超えてはいけない部分があるのではないか。

正史『日本書紀』はそれだけで独立したものであり、これを真実と見做す態度が肝要である。『日本書紀』は真実が書かれているのであり、事実を探究するのはそれとは別のものである。歴史学と考古学の間には当然矛盾があるように、正史と他の文献や他の学問分野の間に矛盾があってもおかしくない。私は正史『日本書紀』を基本とし、学問の成果により、正史の記述が史実であると確認される部分が拡大していくのを見ながら、正史を否定しない態度を保っていきたいと思う。

ところで、天皇陵を掘れば明らかになることは多いと思われるが、これを遠慮すべきことについては別の媒体で述べたので、興味がある人は検索してみてほしい。

日本人なら、日本の建国について、知っておくべきだ。我が国は現存する世界最古の国家である。日本人は、歴史を蔑《ないがし》ろにしてはいけない。

第四章

戦争なく成立した奇跡の統一国家

前章では、ヤマト王権の成立は、考古学の成果によると、遅くとも三世紀前期に三輪山周辺に前方後円墳が造営されはじめるところまで遡ることを確認した。本章では、そのように成立したヤマト王権が、どのようにして日本列島を統一する王権に発展したか、内外の文献史料と考古学の調査結果をもとに整理してみようと思う。

ヤマト王権が日本列島の大半を統一して、律令国家を成立させるまでの歴史は、現代日本の繁栄の基礎を成すものである。覇権国である中国のすぐ近くに位置しながらも、独立国としての地位を確立させ、これを維持してきたことは、ほとんど奇跡に近い。

そして、我が国は統一王権が成立する過程で大きな戦争を経ていないことは特筆すべきだろう。戦争なくして統一王権を築いたことは、日本建国の最大の謎の一つであると同時に、世界史の謎でもある。ところが、近年の考古学の成果により、『古事記』が語る、話し合いだけで国が譲られたという出雲の国譲り神話が史実だったことが分かってきた。

今回は、日本人の先祖が力強く刻んできた日本統一の軌跡について論じる。

●●●統一王権ができたのはいつか●●●

三世紀前期、奈良県三輪山周辺の纏向遺跡に、巨大な前方後円墳が造営されはじめたことは、弥生時代から古墳時代への時代の転換点となった。前方後円墳の出現は、従来の防衛を考慮した環濠集落に代表される弥生時代の習俗とは一線を画するもので、新しい時代の到来というに相応しい。

中国の史料によると、弥生時代は、小国が分立し、ときに大乱が起きていたという。『漢書』地理志は、紀元前一世紀ごろの日本は「分かれて百余国を為す」と記し、また『後漢書』東夷伝は、二世紀後半に「倭国大乱」があったと記す。これが正しければ、弥生時代末期の日本列島は大乱の時代だったことになる。そして、このことは、列島各地に環濠集落や高地性集落といった、防衛を意図した集落が作られたことと符合する。

ところが、前方後円墳が出現してからは、環濠集落や高地性集落の類は姿を消し、戦争や動乱の形跡は見えなくなる。これが古墳時代の幕開けであり、平和で安定した時代が到来したことを意味する。吉野ヶ里遺跡に代表される本格的な環濠集落を作るには、古墳造営に匹敵する作業が必要だったと考えられる。いくら古墳を造っても直接戦争の役に立たないため、巨大古墳の造営に膨大な労働力を投入できたのは、古墳時代が平和な時代だったことの証《あかし》であろう。もし戦乱の時代なら、引き続き環濠を作ったに違いない。

纏向遺跡の前方後円墳は、三世紀前期に九〇メートル級のものが五基あり、そして三世紀中ごろの箸墓古墳が二九〇メートルと巨大なもので、巨大古墳を造営する労力を考えると、当時の王権が近畿地方を中心とする広い範囲を勢力下に置いていたことが想定される。

では、当初、大和地方を治めていたヤマト王権が、いつの段階で日本列島の大半を治める統一王権に発展したのだろうか。考古学の成果によると、当初、纏向型前方後円墳は纏向遺跡でしか見ることができなかったところ、後に日本列島の各地で見られるようになる。その分布が拡大する様子こそ、ヤマト王権の領域の拡大を意味していると考えられる。それは、中央の王権と地方の王が、前方後円墳の造営により政治的関係を確認していったと思われるからである。

三世紀前期に纏向遺跡で始まった纏向型前方後円墳の築造は、早くも三世紀後葉から四世紀初頭にかけての間には、東は千葉県の神門《ごうど》四号墳、小田部《おだつべ》古墳、福島県の臼ケ森《うすがもり》など、また西は鹿児島県の端陵《はしのりよう》古墳に見られるようになった。したがって、前方後円墳の出現からわずか百年足らずの短い期間のうちに、ヤマト王権の勢力は東北の南部から九州の南部にかけた広い領域に拡大していたと推定されるのである。

ところで、五世紀後半には、日本列島の大半を統治する大王の存在を確認することができる。それは、東は埼玉県行田市の稲荷山古墳、西は熊本県和水町《なごみまち》の江田船山古墳から、「獲加多支鹵大王」という同じ大王の名前が彫られた五世紀の時代の作と見られる鉄剣と鉄刀が出土したからである。次章ではこの大王が第二十一代雄略天皇であることがほぼ確実とされていることを述べる。そして、この鉄剣と鉄刀の銘は、今のところ我が国における最初の文字史料である。

この鉄剣銘と鉄刀銘の発見は、四世紀初頭までに纏向型前方後円墳が列島各地に造られ、ヤマト王権の領域が列島の大半に拡大したことを裏付けるものである。東北の南部ないし関東から九州南部にかけての領域は日本列島の大半に相当し、統一王権が成立したと観念して差し支えないだろう。

したがって、纏向遺跡の前方後円墳が造られはじめた三世紀前期から、纏向型前方後円墳が全国各地で造られるようになった四世紀初頭まで、もしくは、遅くとも「獲加多支鹵大王」の銘が彫られた五世紀後半までの間に、統一王権が成立したことになる。

●●・謎の四世紀・●●

これまで考古学の話をしてきたが、統一王権の成立について文献史学ではどのように考えられるだろうか。今に伝わる我が国最初の文書は八世紀に成立した『古事記』と『日本書紀』であり、それ以前の文書は存在しないため、三世紀から五世紀にかけての文字史料といえば、先述の鉄剣と鉄刀をはじめとする出土物に刻まれた文字に頼る他ない。

しかも、年代が特定できるものといえば、さらに限定される。『魏志』倭人伝は「その俗、正歳四時を知らず、ただ春耕秋収を記して年紀となすのみ」と記すが、それが正しければ、ヤマト王権は三世紀にはまだ暦年を用いていなかったことになる。農耕生活による自然暦の状態にあったのだろう。

日本における干支《えと》紀年（干支を用いた六十年周期の紀年法）の最初の例は、稲荷山古墳出土鉄剣銘の「辛亥《しんがい》年」（四七一）である。『日本書紀』が記す雄略天皇の在位は四五六〜四七九年であるから、これと完全に一致する。当時の文字史料と、後に編纂された『日本書紀』の紀年が一致するのは、歴代天皇のなかでは雄略天皇が初例となる。

後に記すように、倭国は五世紀に中国に朝貢しているため、そのやりとりのなかで暦法を取得したのではないだろうか。『日本書紀』は第二十九代欽明《きんめい》天皇の時代に百済から暦博士が派遣されたことを記しているが、それ以前の雄略天皇の御世までには中国式の暦が用いられていたことが分かる。

ところで、古墳時代前期の古墳から大量に出土する三角縁神獣鏡《さんかくぶちしんじゅうきょう》という、縁部の断面形状が三角形状となった大型の銅鏡は、長らく中国製と考えられていたが、近年、中国の研究者から、これらが日本製である可能性が指摘され話題を呼んでいる。三角縁神獣鏡には中国の元号が記されているものがあるため、もしこの時代の鏡が国産なら、年号が記された史料としては我が国最古のものとなろう。だが、もしこれらが日本製だとしても、中国鏡を模して作られたものであるから、そこに刻まれた文字から日本列島の様子を知ることはできない。

さて、我が国の統一を知るためには四世紀の日本列島の状況を知ることが肝要だが、残念なことに、四世紀以前には、先述の鏡を除けば、国内の文字史料がまだ一つも発見されていない。しかも当時、日本は中国へ朝貢していないためか、中国側の史料にも四世紀の日本の状況を記す文字は見えない。

今のところ、四世紀の日本の状況を語る文字史料は、百済の王子が倭王に贈ったとされる三六九年の『七支刀《しちしとう》』の銘文と、高句麗の好太王《こうたいおう》（広開土王《こうかいどおう》、在位三九一～四一二年）の功績を記した三九一年の『高句麗好太王碑』（広開土王碑、中国吉林省）の碑文の二点しか確認することができない。

好太王碑文は、永楽《えいらく》元年（三九一）に倭が海を渡って百済と新羅を破り、臣下にしたと記し、続けて同十年（四〇〇）には、高句麗が新羅を助けるために五万の兵を派遣し、逃げる倭の兵を任那加羅《みまなから》まで追撃し、同十四年（四〇四）には、半島西海岸を北上してきた倭の水軍を、好太王は自ら撃退し、さらにその三年後には、倭軍を斬殺し甲冑《かっちゅう》一万余領を獲得したと記している。

一方、七支刀は石上《いそのかみ》神宮に伝来する神宝で、その銘文から、百済の王子が倭王のために作って寄進した剣であることが分かる。そしてそこには、製造年として、百済が国交を結んでいた中国東晋の年号である泰和《たいわ》（太和）四年（三六九）と記されている。これについては『日本書紀』神功《じんぐう》皇后五十二年の条に、百済の肖古《しょうこ》王が「七枝刀」一振りと「七子鏡」を贈ったと書かれていて、七枝刀が石上神宮の七支刀であると考えられている。好太王碑文にも、三九九年に百済王と倭王が強固な同盟を結んだと書かれている。

好太王碑文と七支刀銘文の二点は、四世紀末から五世紀初頭にかけて、大和朝廷が半島に出兵して百済を助けて高句麗と戦い、そして負けたことを示している。高句麗側の史料であるため、負かした相手を誇張して強く書いている可能性があるが、この戦いは決して小規模なものではないと思われる。そして、このことは、結果は異なるも『日本書紀』の神功皇后紀が記す、皇后の半島出兵と符合するものであり、これらは一定の事実を反映したものと考えてよい。

四世紀の日本のことを伝える一次史料は、この二点しかないため、もし四世紀の日本について知ろうと思ったら、この二点の他、八世紀に成立した記紀に頼る他ないのである。その

高句麗好太王碑（提供：PANA）

石上神宮の「七支刀」（提供：時事通信）

ようなわけで、四世紀は謎の世紀とされている。そして、学界では四世紀に関して定説すら存在しない状況にある。

『日本書紀』が記す統一王権成立への軌跡

では、『日本書紀』は建国から統一までをどのように記しているだろうか。記紀が編纂されたのは七世紀（完成は八世紀）で、問題となる四、五世紀から二、三百年ほど後に書かれたものだが、そもそも記紀は口伝により伝承されてきた逸話をまとめたものであるから、統一王権成立について事実が語られている部分があると考えるべきであり、考古学の成果と一致する部分も多々ある。

『日本書紀』は、神武天皇即位によって統一王権が成立したとは語っていない。神武天皇即位により、後の大和朝廷の前身となる王権が成立したと理解するのが妥当であろう。『日本書紀』の記述によると、神武天皇の東征は統一に向けた第一歩であり、第二代以降も統一への努力が続けられたことが分かる。

『日本書紀』が伝える統一への動きは、まず神武天皇の東征に始まり、次に第二代綏靖《すいぜい》天皇から第九代開化《かいか》天皇までの間に進められた列島内の同盟政策、そして、第十代崇神天皇が北陸、東海、西道、丹波の四方面に四道将軍を派遣したことや、第十二代景行天皇の九州遠征と、その息子である日本武尊《やまとたけるのみこと》が西征して熊襲《くまそ》を征討し、続けて東征して東国の反乱を鎮《しず》めたことが記されている。また、『日本書紀』の神功皇后紀には、神功皇后が新羅を討伐した話も語られている。

ただし『日本書紀』が記す武力による平定は、いずれも「まつろわぬものをことむける」(従わない者を説得する)ものであり、いくつかの従わない者だけが攻められたことが分かる。決してやみくもに武力で征服していったわけではない。そして、考古学の成果からも、古墳時代はほとんど戦争らしい跡が見られない平和な時代だったことが指摘されている。説得により連合政権が拡大していったことは史実と見てよい。

考古学の視点から、遅くとも第二十一代雄略天皇までには関東から南九州までを統治する王権に発展していたことは述べたとおりだが、では文献上の統一王権の成立は『日本書紀』の記述でいえば、どこまで遡ることができるだろうか。

事績がはっきりしている第十六代の仁徳天皇の御世では、日本史上最初の大規模工事とされる大阪平野の開発と治水工事が行われていることと、この御世の直後(五世紀前葉〜中葉)に最大規模の古墳が造営されていることから考えると、その時代の政治の意識は、領土の拡大ではなく国内の整備に向けられていたことが分かる。よって仁徳天皇の時代には、すでに統一王権が成立していたと推定できる。

そして、仁徳天皇よりも前の時代に領土を拡大させた天皇や皇族の事績といえば、『日本書紀』に見える神功皇后の朝鮮出兵と、第十二代景行天皇紀に見える日本武尊の西征と東征、そして、第十代崇神天皇の四道将軍の派遣などである。

『日本書紀』が記す、崇神天皇と日本武尊の「ことむけ」(説得)に象徴される全国統一は、纏向型前方後円墳が巨大化した三世紀後期から、纏向型前方後円墳が全国で造営されることになった四世紀初頭までの期間に成し遂げられたと考えてよいだろう。

ただし、最初の干支紀年の初例が稲荷山古墳出土鉄剣銘の「辛亥年」(四七一)であるから、それ以前の出来事について、年代を特定するのは困難であり、統一の年代を正確に指し示すことはできない。

実在した「欠史八代」

ところで、記紀は、初代神武天皇について、東征を中心とする物語を克明に書き記しているが、第二代綏靖天皇から第九代開化天皇までは、主に系譜を記すのみで、事績がほとんど書かれていないため「欠史八代」と称されることがある。これは記紀の編纂者が皇室の成立年代を古く見せかけるために、虚偽の天皇の系譜を書いたという考えに基づくものである。

確かに「欠史八代」と呼ばれる部分は、ほとんど事績の記述がなく、また百歳以上の寿命を保った天皇が五代含まれていることから、史実性が乏しいとの主張には一見説得力があるように見える。

しかし、存在が確実とされる第二十四代仁賢《にんけん》天皇、第二十五代武烈《ぶれつ》天皇、第二十七代安閑《あんかん》天皇をはじめとする複数の天皇も事績の記述を欠いているため、事績の記述が実在の要件とするなら、それら実在した天皇も実在しなかったことになるだろう。

また、記紀には八代の天皇の系譜について詳細が記載されていて、これらがまったくの作り話であるとは思えない。ヤマト王権は、大王が周辺の豪族と姻戚関係を結びながら、徐々に連合政権としての基盤を整えていったと考えられるため、それらの婚姻は政治的意図を持つ同盟政策そのものであり、むしろそれ自体が「事績」というに相応しいものであって、統一王権への軌跡を物語っている。

八代の事績が書かれていないのは、単純に欠落したか、もしくは八代の事績はすべて神武天皇の事績としてまとめて語られているものと考えられる。

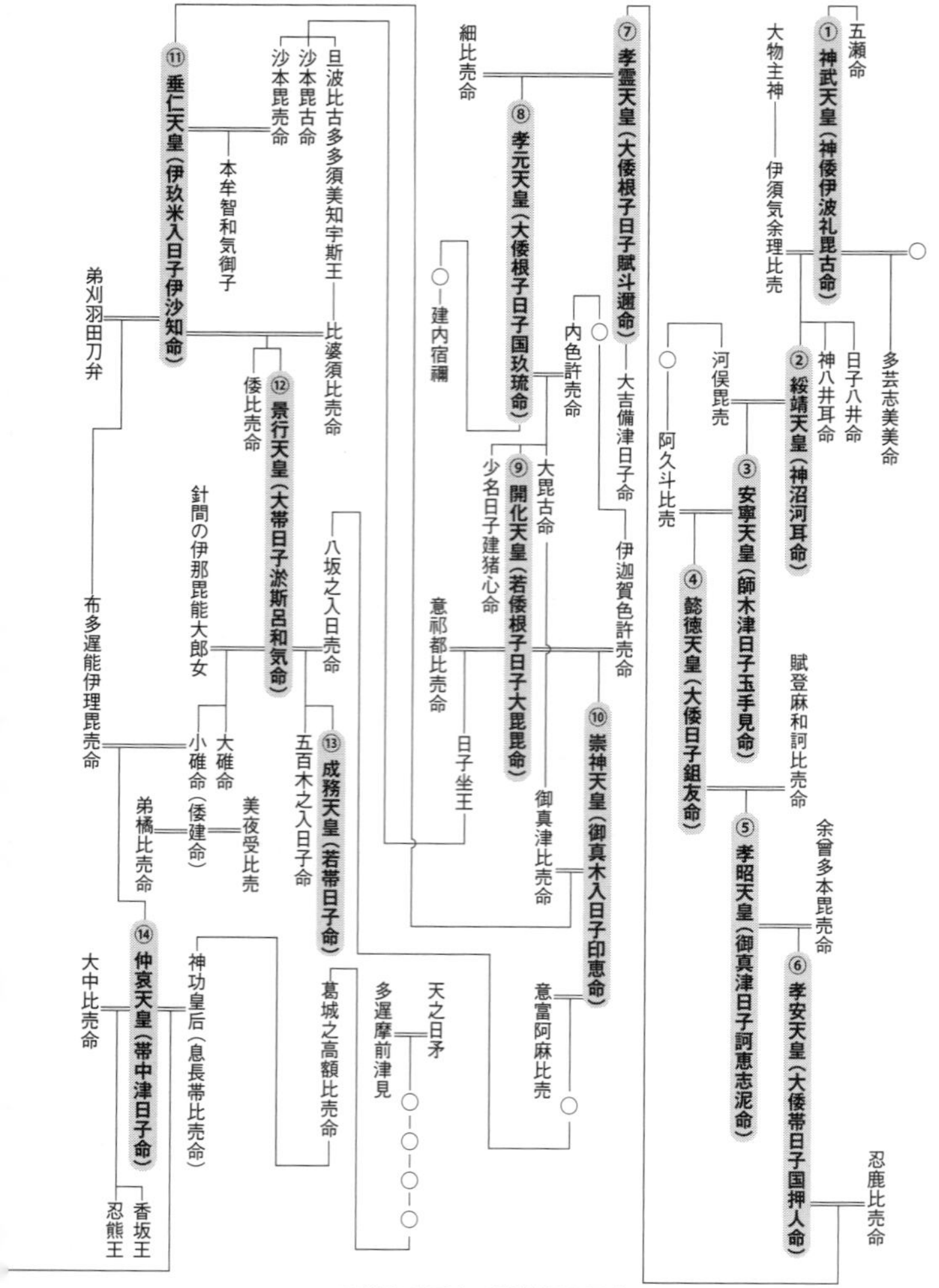
五瀬命
①神武天皇（神倭伊波礼毘古命）
大物主神
伊須気余理比売
多芸志美美命
日子八井命
神八井耳命
②綏靖天皇（神沼河耳命）
河俣毘売
阿久斗比売
③安寧天皇（師木津日子玉手見命）
④懿徳天皇（大倭日子鉏友命）
賦登麻和訶比売命
⑤孝昭天皇（御真津日子訶恵志泥命）
余曾多本毘売命
⑥孝安天皇（大倭帯日子国押人命）
忍鹿比売命
⑦孝霊天皇（大倭根子日子賦斗邇命）
大吉備津日子命
細比売命
⑧孝元天皇（大倭根子日子国玖琉命）
内色許売命
伊迦賀色許売命
建内宿禰
大毘古命
少名日子建猪心命
⑨開化天皇（若倭根子日子大毘毘命）
意祁都比売命
日子坐王
御真津比売命
⑩崇神天皇（御真木入日子印恵命）
意富阿麻比売
⑪垂仁天皇（伊玖米入日子伊沙知命）
旦波比古多多須美知宇斯王
沙本毘古命
沙本毘売命
本牟智和気御子
比婆須比売命
弟刈羽田刀弁
倭比売命
⑫景行天皇（大帯日子淤斯呂和気命）
八坂之入日売命
針間の伊那毘能大郎女
大碓命
小碓命（倭建命）
美夜受比売
弟橘比売命
布多遅能伊理毘売命
五百木之入日子命
⑬成務天皇（若帯日子命）
葛城之高額比売命
天之日矛
多遅摩前津見
神功皇后（息長帯比売命）
⑭仲哀天皇（帯中津日子命）
大中比売命
香坂王
忍熊王

※数字は天皇の即位順を示す
同一人物でも『日本書紀』とは表記が異なる場合がある

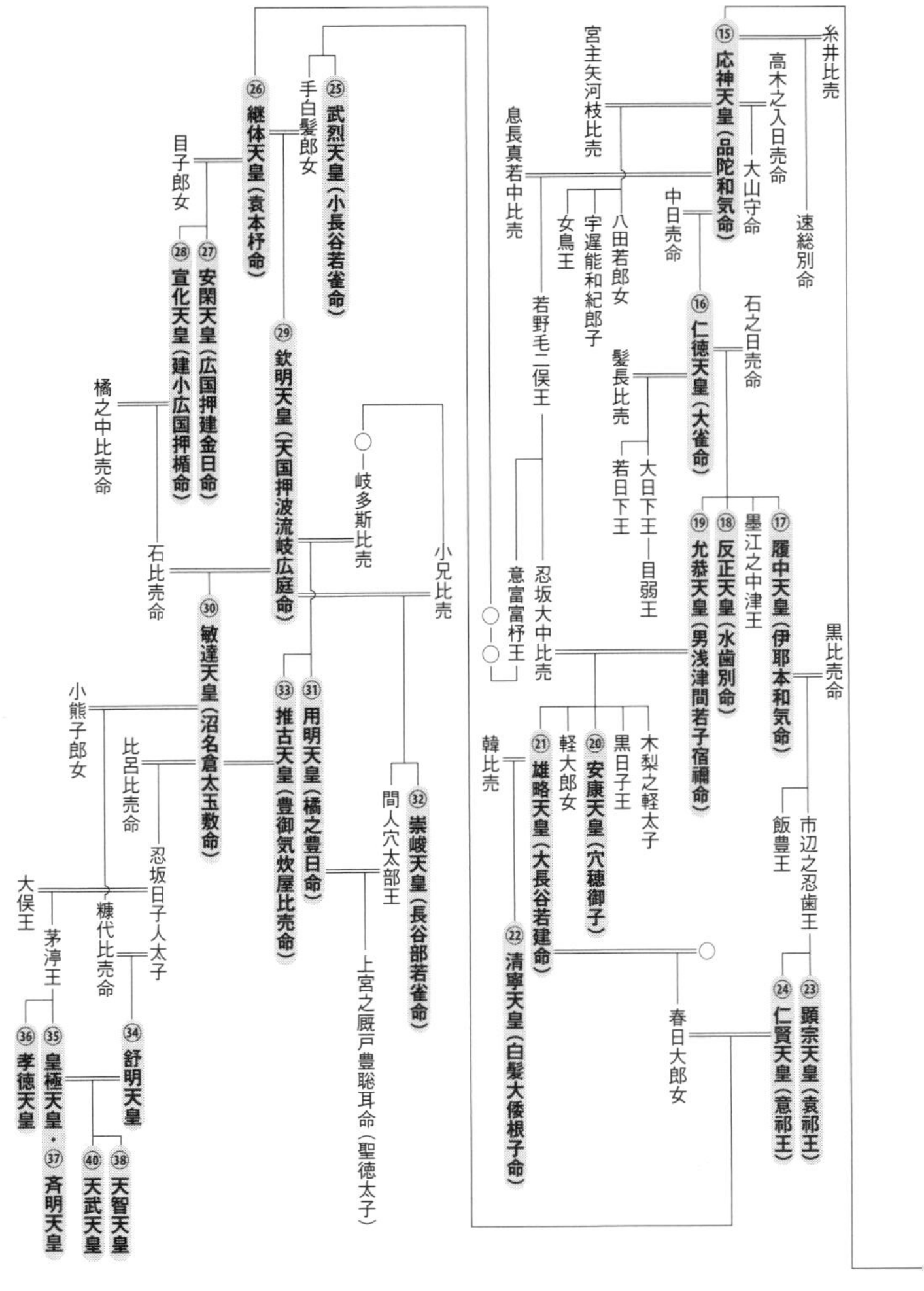

『古事記』に基づく歴代天皇系図（拙著『現代語古事記』学研パブリッシングより作成）

しかも、先述の稲荷山古墳出土の鉄剣に、第八代孝元《こうげん》天皇の皇子である大彦命《おおひこのみこと》のことが書かれていて、その実在が確認された。大彦命は、後に崇神天皇が派遣した四道将軍の一人として北陸道へと派遣された人物である。これにより、その父である孝元天皇と、兄弟である第九代開化天皇が実在していたことがほぼ確実と見られるようになった。

また、第二代綏靖天皇も実在していないという考えが支配的だが、記紀は、異母兄と対立して排除され、しかも、同母兄からすすめられて神武天皇の後継者となったことを記している。このような記述は、事実でなければ記す必然性がなく、何らかの事実を反映させたものと考えるべきだろう。

しかも、「欠史」とはいえ、平定の記述もある。これは『古事記』の第七代孝霊《こうれい》天皇の条で、皇子の大吉備津日子命《おおきびつひこのみこと》らが吉備国を説得して平定したという。この記述は、八代のなかで唯一歴史が記された部分である。吉備は出雲とならぶ強国の一つで、独自の文化と優れた製鉄技術を持っていたと考えられている。その吉備がヤマト王権と連合を組むことになったのは、史実とされているのであり、この部分は、八代の記述中に史実を反映する部分が含まれている一例となる。

少なくとも『日本書紀』は我が国の正史であり、「真実」が語られているととらえなくてはならない。これを否定する確固たる証拠もないのであるから、「事実」であることを推定するのが、むしろ科学的な態度であろう。そもそも、四世紀以前は文字のない時代であるから、八代に関しては、分からないことが多くて当然なのだ。

出雲国譲り神話は史実である

ここまでの考察により、大和地方の王権が日本列島の大半を統治する統一王権に発展したのは、おおむね三世紀後期から四世紀初頭にかけての時期であることを確認することができた。

しかし、その時期は古墳時代前期に該当し、考古学の成果によると、大規模な戦争の形跡は観察されないことから、日本列島は平和で安定した時代だったことが分かっている。また、日本列島は古墳時代を通じて、一定の方向性をもって文化的な発展を続けていて、文化的な断裂も観察されないため、王朝交代などを想定することもできない。ということは、日本では戦争のほとんどない平和で安定した時代に、統一王権が成立したことを意味する。

ところが、世界史の常識によれば、統一国家が成立するためには、それなりの戦争を経るものである。たとえば秦の始皇帝、英国のウィリアム征服王、中国の毛沢東などの建国の英雄たちは、いずれも大規模な戦争に勝利を収めて統一国家を樹立した。アメリカも然《しか》りである。では、我が国はなぜ戦争のない時代に統一王権が成立したのか、これは日本史上の大きな謎の一つではなかろうか。

それが可能だったのは、武力で一方的に併合するのではなく、あくまでも話し合いで、すなわち「ことむけ」により国々をまとめようとしたからだろう。天皇の下に各地の豪族が束ねられた連合政権として勢力を拡大させたことが窺える。そして、見事に大きな戦争を経ずに統一を果たしたのである。

『古事記』にていねいに描かれている出雲国譲り神話は、出雲国が話し合いの末に国を譲ることを決めた物語で、長年、史実ではないといわれてきた。そもそも、出雲地方に大きな遺跡が一つも見つかっていなかったため、出雲の勢力の実態は謎で、古代出雲国の存在自体に疑問符が付けられていたのである。

しかし、昭和五十八年（一九八三）に農道の建設で荒神谷《こうじんだに》遺跡が発見され、二年がかりの発掘調査の結果、銅剣三五八本、銅鐸《どうたく》六個、銅矛一六本が出土し、学界で注目された。これまで全国から出土していた銅剣の総数が三〇〇本程度で、それを上回る数の銅剣が一カ所から出土したのであるから、関係者を驚かせたのも無理はない。現在、遺跡は国の史跡に、また出土品は一括して国宝に指定されている。

しかも、それからまもない平成八年（一九九六）に、荒神谷遺跡と山を隔てて南東にわずか三・四キロメートルしか離れていない場所で、加茂岩倉《かもいわくら》遺跡が発見され、三九個の銅鐸が出土した。一カ所の出土数としては考古学史上最多となる数で、別の意味で関係者を驚かせた。

ヤマト王権には銅鐸を使う習慣はなく、銅鐸にまつわる逸話は記紀にも見えない。よって、出雲地方はヤマト王権とはまた異なった宗教の王朝文化を持っていたことが推定される。荒神谷遺跡と加茂岩倉遺跡の発見により、古代出雲は、独自の文化をもった強大な軍事勢力だったことが確認されたのである。

ヤマト王権成立のサインとされる前方後円墳が出現した三世紀前期の時点では、ヤマト王権の勢力は出雲に及んでいなかったが、遅くとも五世紀までの平和で安定した時期に、独自の文化圏を形成していた出雲の勢力が、統一王権たる大和朝廷に組み込まれたことが分かる。出雲対大和の大規模な戦争の形跡も見られず、そのうえ、出雲大社は現存し、出雲の宗教は現在まで受け継がれているのであるから、出雲の国譲り神話は史実だったと考えてよい。また『古事記』は、諸国を代表して出雲の国譲りを語っているのであり、恐らく、その他の多くの地域も同様に話し合いで統合していったものと思われる。

大規模な戦争を経ずに、主に話し合いで統一王権を成立させたのが、我が国の統一の歴史だったのだ。この手法は古代版の欧州連合（ＥＵ）ではないだろうか。日本人の先祖はそれほど高度なことを千七百年以上前にやってのけたのである。

保障されていた宗教の自由

では、なぜ話し合いで列島を統一することができたのだろう。話し合いで簡単に済むものであれば、世界史が戦争の歴史として綴られることはなかったはずだ。日本がこれを可能にした要素はどこにあるのだろう。

その最大の要素は、宗教弾圧をしなかったことではなかろうか。世界の歴史は「宗教戦争の歴史」といっても過言ではない。民族の誇りや信仰が穢《けが》されるなら、人々は最後まで戦う覚悟を持っている。我が国も先の大戦で、ポツダム宣言の条項に、皇室の廃止、神社仏閣の破却、日本語の禁止などが組み込まれていたら、絶対にこれを受諾することはなかったろう。

しかし、ヤマト王権は宗教弾圧をしなかった。国譲り後に出雲地方の宗教的象徴である出雲大社が破壊されずに現在に残り、その信仰も残ったことは、およそ世界史の常識では起こ

出雲大社本殿（提供：oonamochi）

大神神社本殿（提供：紫煙）

りえない。

この事実は、大和朝廷は他の地域を「ことむけ」るにあたり、王の地位を保障し、かつ領域内の宗教を制限しなかったことを物語っている。むしろ、大和朝廷によって統合された地域の信仰は、弾圧を逃れただけでなく、保障され、守られたのである。

このことは、出雲だけでなく、三輪山の神の祀り方にも見ることができる。『日本書紀』が記すところによると、「私の子孫の大田田根子《おおたたねこ》に私を祀らせたなら、自然に安定するだろう」という大物主神のお告げを受けた崇神天皇は、そのお告げのとおりに神の子孫の大田田根子を探し出して大物主神を祀らせた。これが大神《おおみわ》神社の創建の由来である。

大国主神と大物主神の祀り方に見えるように、我が国は古代における建国と統一の段階で、すでに地域の信教の自由を尊重していたというべきだろう。現代の憲法学によれば、数ある人権のなかでも、信教の自由を含む精神的自由権は、侵害されていても外部から認識しづらく、また一度侵害されると回復が困難であることから「ガラスの人権」と呼ばれることがある。

アメリカの独立戦争や、フランス革命などは、市民がこの精神的自由権を手にすることを究極の目的としていた。欧米の市民が十八世紀になってようやく手に入れた究極の人権を、日本人の先祖は古墳時代に尊重し、国をまとめあげたのである。ちなみに、中国ではいまだに人民の精神的自由権は保障されていない。

記紀が編纂された八世紀には、恐らく全国各地に様々な神話と信仰があったはずだ。大和朝廷によって統合される前から、三輪山、伊勢、出雲、熱田、南九州をはじめ各地に信仰があったと思われる。

それらの、一見関連性がないとも思える神話群を、一つの流れを持つ一つの神話にまとめあげたのが『古事記』だった。その結果、多くの異なった信仰が、一つの神話体系として理解されるようになった。だから、日本では宗教戦争が起きたことがない。

大和朝廷の政策として特に称賛に値するのは、日本神話を一つの体系にまとめ、『古事記』に書き残したことではないだろうか。私の知る限り、人類史上において、国を統合する手法としてこれほど鮮やかなものは他にない。もともと多神教の風土があったとはいえ、見事な国策である。和の精神文化を育《はぐく》んできた日本人ならではの手法だといえよう。

巨大古墳を造った二万人の労働者

四世紀末からは、これまでの大和周辺に大きな古墳が造られなくなり、代わって河内《かわち》に巨大古墳が造営されるようになった。なぜ大和から河内に移動したかについては諸説あるが定まらず、また記紀にもその理由は書かれていない。河内でも古市《ふるいち》古墳群と百舌鳥《もず》古墳群の二カ所に分かれていること、そして六世紀には再び大和に戻ることなど、併せて古墳時代最大の謎とされる。

仁徳天皇の御世までには統一王権が成立していたと述べたが、仁徳天皇といえば、世界最大の墓である仁徳天皇陵（四八六メートル）で知られている。河内で国内最大規模の古墳が造営されたことから、四世紀末までには、大和朝廷の基盤がいよいよ強固なものになったことが窺える。この時代の巨大古墳は、日本列島の盟主の埋葬施設として相応しいものである。

河内に巨大古墳が造られた古墳時代中期（四世紀後葉～五世紀後葉）は、いくつもの巨大前方後円墳が並行して造られたと考えられる。一万人から二万人が同時に古墳造営にかかわっていたと推測されるが、古墳造営の労働力を畿内だけで確保できたとはとうてい思えない。各地の王を通じて大勢の労働者が動員されたに違いない。

ということは、大和朝廷に属することで、各地域の王が担う義務の一つとして、労働力の提供があり、それだけ大勢の労働者を大和に常駐させるだけの仕組みが成立していたことを示している。また、動員された人たちは食料の生産に携わらないため、その数が常に数万人ということなら、大和ではいっそうの食料の増産をしなければならなかったはずである。何万にも上る労働者たちの食料を生産するために、労働者がまた別に集められたと考えるのが自然だろう。大和朝廷はそれを可能にする経済基盤を持っていたことになる。

また、先述の稲荷山古墳出土の鉄剣銘によると、関東の首長の一人である被葬者の乎獲居《をわけ》は、一時期大和の大王のもとに、武人として奉仕していたことが分かる。地方の王の子が若いときに大王の都で修業を積んだのか、もしくは地方の王に江戸時代の参勤交代のような務めを課していたのかは不明だが、中央と地方の関係が一定の仕組みの上に成立していたことが分かる。

仁徳天皇陵が象徴するもの

ところで、地方の王が義務だけを背負ったとは考えられないので、大和朝廷に参加すると得られる大きな利益があったはずである。この時代、半島との交易が盛んになり、特に金属製品の原料と技術が導入された。外国との交易は地方の農業共同体ができるはずもなく、朝廷が独占していたと考えられる。ということは、列島の大半を包括する情報と人とモノのネットワークが成立していて、地方の王は大和朝廷の大王に服属することで、そのネットワークを使って、たとえば農村に金属製の農機具などを供給することができたのであろう。古墳時代になって東北地方にも金属器が普及したのはこれによると考えられる。

本章で繰り返し述べてきた「話し合いによって国を統合していった」というのは、ヤマト王権が、地方の首長たちの利害を調整するのに成功したことを意味する。そして現れたのが、前方後円墳ではなかったか。各地に存在していた共同体のなかで、ヤマト王権が勢力を拡大させ、多くの共同体の上位に位置するようになり、それがやがて広大な地域を統治するようになって、三世紀前期の最初の前方後円墳を造ることにつながったのだろう。

したがって、巨大古墳の時代を迎えたということは、統一王権が成立したことの動かぬ証である。三世紀前期に纏向遺跡に最初の前方後円墳が造られ、三世紀中期にさらに巨大な箸墓古墳が造られ、そして四世紀末期以降、河内で最大規模の巨大古墳が造営されるようになったのは、ヤマト王権が徐々に勢力範囲を拡大させ、統一王権に発展し、その基礎を固めてきたことの軌跡である。列島の大半の地域にまたがって、中央の大和朝廷が地方の王たちと秩序立ってつながる仕組みが確立され、統一王権が成立したことを押さえておきたい。

それにしても、大和朝廷はなぜ世界的にも群を抜いた巨大な埋葬施設を多数造営したのだろう。それは、前方後円墳が王権を目で見えるかたちにしたものだったからではないか。交通の要所に造られていることからも、巨大古墳は祭祀の場としての役割だけでなく、見せるための墳墓だったといえる。クフ王のピラミッドをも凌駕《りょうが》するその巨大性と特殊な形、そして、表面は葺石によって綺麗に整えられて多数の円筒埴輪が並べられ、濠《ほり》をめぐらせた巨大古墳は、見る者を圧倒する力があったろう。そのなかでも最大の大きさを誇る仁徳天皇陵は、日本列島における統一王権の成立を象徴するものだったのではないだろうか。

第五章

中国から守り抜いた独立と自尊

第四章では、大和朝廷が統一王権に成長する過程を、文献史料と考古学の調査結果をもとに紐解き、戦争なくして統一国家が成立した奇跡の真相に迫った。本章は、日本の独立と自尊をテーマに考えていきたい。

世界の歴史は王朝交代の歴史である。しかし、日本は二千年以上、一つの王朝を守りつづけてきた。しかし、それは統一王権を成立させただけで実現できるものではない。日本の近くにはいつも強大な力を持った中国王朝が控えていた。中国の歴代の王朝は、朝貢国の君主に国王の称号を与えて冊封《さくほう》体制という独特の秩序を作ってきた。

その体制のなかで、長らく「倭」と呼ばれて蔑まれてきた我が国が、中国王朝と適切な距離を保って自立性を高め、国際社会のなかで独立国としての地位を築き、しかも、それを長年保ちつづけるのは、並大抵の努力でできることではあるまい。現在、我が国が独立国として存在しているのには、それなりの理由がある。そして、それは先人たちの弛《たゆ》まぬ努力と挑戦の結果だった。

本章では、日本がいかにして独立国としての体を整え、中国の冊封体制から離脱してきたか、掘り下げてみたい。

中国王朝の中華思想と王化思想

中国歴代王朝は、いずれも強い中華思想を持っていた。これは、中国が世界の中心で、中国大陸を制する王朝とその文化・思想が最も尊く、その周囲にある国や民族は野蛮で劣等と見做すものである。中国王朝は自らを「中華」と称し、その周囲の国や民族を「夷狄《いてき》」（野蛮国・野蛮人）と考え、方角ごとに「東夷《とうい》」「西戎《せいじゅう》」「南蛮《なんばん》」「北狄《ほくてき》」などと呼んで蔑んできた。

そして、それらの中国周辺の夷狄のうち中国に朝貢する国には、様々な特典が与えられ、その一方で朝貢しない国があれば、それは討伐の対象とされてきた。朝貢とは、中国周辺国の君主が中国皇帝に貢物を捧げ、君臣の礼を尽くして、主従関係を結ぶことである。この仕組みは、夷狄は皇帝の徳を慕って朝貢することにより、中華の一員となることができるという王化《おうか》思想を前提としている。よって、朝貢国（朝貢する国）が多いことは、皇帝の徳が高いことを意味し、内外に王権の正統性を示すことができるのである。

その反面、朝貢しない国に対しては、それは皇帝に徳がないためではなく、皇帝の徳を理解できない夷狄の側の問題、と切り捨てる。中国は、朝貢しない国を「化外《けがい》の地」と呼ぶ。これは「王化の及ばない地」、すなわち、いかに中国の文化・思想が優れていて、皇帝の徳が高くても、その素晴らしさを理解することができない野蛮人の住む地であるという。

　では、なぜ周辺諸国は中国王朝に朝貢したのだろうか。それは、朝貢国には大きな特典が与えられたからである。なかでも最大の特典は、中国王朝から冊封を受けることだった。冊封とは、朝貢に対する見返りの一つで、中国皇帝から王や侯といった中国の官号や爵位を与えられることをいう。これは、中国王朝の属国となることを意味し、その結果、中国の冊封体制が作り出す秩序のなかで、一定の政治的地位を得ることができる。すなわち、朝貢国の王は、中国皇帝に認められた地域を支配する正統性を得られるのである。

　しかも、冊封を受けていれば、大帝国である中国王朝に攻められることはない。そのうえ、冊封を受けた国は背後に中国王朝が控えているため、他国からも攻められにくく、あまつさえ、もし他国に攻められることがあっても、中国に援軍を要請することもできるのである。したがって、小国にとっては、中国王朝の冊封体制に組み込まれることは、安全保障上の大きな価値がある。

　ただし、自治権が認められていたため、冊封を受けたからといって、ただちにその領土が中国王朝の領土に組み込まれるわけではない。よって、主従関係といっても名目的なものであったということができる。

朝貢の特典は冊封だけではなかった。朝貢は貿易の一形態でもあり、朝貢国は朝貢を通じて経済的な恩恵を受けることができた。朝貢国が中国皇帝に貢物を献上すると、それに対して、何倍も価値のある品物が渡された。これを回賜《かいし》という。俗にいう「親分風を吹かせる」ことで、回賜の規模が大きいほど、中国の大国としての威徳を内外に示すことができたのである。回賜は周辺国への経済援助のような役割を果たした。後代では朝貢以外の貿易も行われるようになるが、冊封体制では、原則として朝貢国しか中国との貿易を認められず、貿易は朝貢国に与えられた重要な特典だった。

かといって、朝貢国は好きな時期に、好きな形態によって朝貢ができるわけではなかった。朝貢国は、中国王朝から指定された期間ごとに、指定された道筋で、指定された貢物を献上する義務を負うのである。したがって、朝貢国は中国の許しを得て朝貢使を立てることになる。中国王朝にとって朝貢を受けることは、大きな経済的負担になるため、朝貢国ごとにその頻度を制限していた。

損得勘定抜きで冊封体制に抵抗した日本

では、中国の歴代王朝は、なぜそのような大きな負担をしながらも、周辺国の朝貢を歓迎してきたのだろう。それは、中国の北や西にどこまでも続く土地のほとんどが不毛地帯だったことが大きく影響しているのかもしれない。

すなわち、周辺の諸民族には警戒を要するも、それらを討伐して不毛の地を手に入れたところで、国力が高まることはあまり期待できない。にもかかわらず、広範囲な領域を支配下に組み込もうとすれば、戦争と占領に膨大な費用をかけなくてはならない。このことを考慮すると、諸国と敵対するよりは、朝貢を受けて回賜を与えた方が、費用対効果が高かった。諸国の朝貢を歓迎して冊封体制に組み込むことは、中国王朝にとっても大きな利点があったのである。

冊封体制において、大きな負担になるのはむしろ宗主国の中国王朝の方で、冊封を受ける国にとっては、さほどの負担ではなかったようである。冊封を受ける国としては、中国王朝の天子が定めた元号と暦を使用することや、中国王朝から出兵の求めがあるかもしれないといった程度である。元号と暦については、中国王朝への外交文書でこれを用いればよく、国内で別の元号や暦を用いることを禁止されるわけではない。出兵の要請についても、中国王朝と心中することを求められるわけではなく、国が滅亡するまで付き合う義務もない。

そして、何らかの違約が生じても、明らかな被害が生じない限り、寛大に扱われた。このように、冊封を受ける国にとっては、実質的に大きな負担になる義務はないのである。したがって、朝貢国にとっては大きな利点があり、一方たいした義務もないため、中国王朝と敵対する特別な意志がない限り、冊封を受けることにそれほど抵抗もなかったと思われる。

このように冊封体制は、朝貢国にとっても宗主国にとっても、利害が一致するものであった。国内の封建的な君臣の関係を、諸外国との関係にまで延長し、それによって国際的な秩序を創出しようとするのが、中国王朝の冊封体制である。東アジアの大部分がこの冊封体制に組み込まれることとなり、冊封体制が東アジアの秩序を担うことになった。

ところがこれに抵抗したのが日本だった。日本も一時期、中国王朝の冊封体制に組み込まれていたが、ある時期に、冊封体制から脱却する決意をし、これを実現させてきた。ただの損得勘定で考えれば、先述のとおり、冊封を受ける国は大きな利益を受け、それに伴う負担はほとんどないに等しいのだから、他国と共に冊封を受ければよかったはずだ。日本は損得や理屈ではない部分で、冊封体制と決別する道を選んだのである。それどころか、冊封体制について学んだ日本は、自ら同様のものを作ろうとさえした。

しかし、それはいうのは易《やさ》しくとも、一つ間違えれば中国王朝の討伐の対象ともなりかねない、困難なことだった。近世まで日本と中国王朝では国力があまりに違い過ぎたため、日本が冊封を受けなくなった古墳時代中期から、冊封体制が完全に崩壊する清朝滅亡までの間、緊張の連続だったのではないかと思う。

中国は日本をどのように記しはじめたか

日本で文字が使われるようになったのは五世紀のことであり、それより前は、国内の文字史料が見つかっていないため、分からないことが多い。しかし、中国の正史にはたびたび日本の記述があり、当時の日本の状況を知る手がかりになる。正史とは、すでに述べてきたように、国家が編纂した正式な歴史書のことで、中国では王朝が滅亡すると、次の王朝が前の王朝の正史を編纂するのが慣例になっていた。

ただし、正史といえども、すべての記述が事実とはいえない。正史の性質上、その記事は編纂国の価値観に拠《よ》っていることは当然として、編纂国にとって不都合なことは書かれないか、もしくは都合のよいように書き換えられている可能性も考慮する必要がある。また、正史には明らかに誤った記述も多い。そのため、正史の記事をそのまま事実として扱うべきではないことを確認しておきたい。

世界のあらゆる文献のなかで、日本について書かれた最も古い文書は、前漢の正史『漢書』地理志で、ここには紀元前一世紀ころの日本の様子が書かれている。この文書は、日本列島の住人を「倭人」と呼び、当時の日本列島は一〇〇以上の小国に分裂していて、漢の出先機関である楽浪郡《らくろうぐん》に定期的に貢物を献上する国があったと記している。楽浪郡は、前漢の武帝が紀元前一〇八年に衛氏《えいし》朝鮮の故地に設置した漢四郡の一つで、今日の北朝鮮の平壌付近に役所を置いていた。

奈良県の三輪山山麓に前方後円墳が造営されはじめる三世紀前のことであり、弥生時代の中期に該当する。この文書が記す朝貢国が、どの地域のどのような勢力であるかを知ることはまったくできないが、日本列島にある地域政権のいずれかが、漢に朝貢していたことが分かる。

次に日本の記事が現れるのは、後漢の正史『後漢書』東夷伝である。ここからは、建武《けんぶ》中元《ちゅうげん》二年（五七）に倭奴国《わのなこく》が、使者を楽浪郡まではなく、後漢の都である洛陽まで派遣して朝貢し、光武帝が印を授けたことが分かる。また、永初《えいしょ》元年（一〇七）の記事には、倭国王師升《ししょう》（もしくは帥升《すいしょう》）が安帝《あんてい》に奴隷一六〇人を献上したという。

ここに「倭奴国」と「倭国」が登場するが、記事に見えるのはいずれも『後漢書』のこの記事が初見である。倭奴国に授けられたという印は、江戸時代になって博多湾の志賀島《しかのしま》で、

志賀島で発見された「漢委奴国王」の金印
（提供：毎日新聞社／PANA）

百姓の甚兵衛《じんべえ》が発見した金印と考えられている。そこには「漢委奴国王《かんのわのなのこくおう》」と刻印されていて、現存している。

この記事から、日本列島にある何らかの勢力が定期的に洛陽まで朝貢していたことが分かる。しかし、倭奴国と倭国との関係は不明で、どの地域のどのような政権であるかもまったく分からない。また、後に統一王権となり中国王朝から「倭国」と呼ばれるようになる大和朝廷と、『後漢書』のいう倭国の関係もまったく不明である。ただ、金印が出土していることから、倭奴国は北部九州に存在していたことが想定される。

また『後漢書』東夷伝には、二世紀後半に倭国大乱があったと書かれている。この時期は弥生時代後期で、日本で大きな戦いがあったというのは、確かに考古学によって認められる。

そして次が『魏志』倭人伝が記す邪馬台国と、女王卑弥呼である。『魏志』によると、邪馬台国は司祭者の卑弥呼が治める、約三〇の小国が集まった連合国家で、魏に使者を送って朝貢し、「親魏倭王」の称号を受けたという。

これまで見てきたように、日本の歴史の記述は中国王朝への朝貢によって書きはじめられ、正史の記事として綴られてきた。そして、日本が最も深く冊封体制のなかに入り込んだのが、次の宋の時代である。

「倭の五王」と呼ばれた天皇

前章で述べたとおり、日本の四世紀は謎の世紀だった。国内の文字史料が一点もないうえに、中国の史料に一度も記述がないからである。二六六年に邪馬台国が西晋に朝貢したことを最後に、中国の史料から日本の記事が消え、次に記録に現れるのは、五世紀に日本が宋に朝貢した記事で、約百五十年ぶりのことだった。

日本が宋に頻繁《ひんぱん》に朝貢したことは、宋の正史『宋書』倭国伝に詳しく記載されていて、日本が対中外交に力を入れ、積極的に冊封を受けた様が分かる。日本が宋に最初に朝貢使を送ったのは四二一年で、これを含め計一〇回の朝貢の記録が見える。『宋書』によると、朝貢した倭国王の名は讃、珍、済、興、武で、倭王は朝貢するたびに宋に官爵を要求したという。

宋への最初の朝貢使の派遣では倭王讃が「安東将軍、倭国王」の称号を受けたが、これは高句麗王の征東大将軍や、百済王の鎮東大将軍よりも格下の位だった。

次の倭王珍は「使持節、都督倭・百済・新羅・任那・秦韓・慕韓六国諸軍事、安東大将軍、倭国王」の承認を求めた。「節」とは皇帝の名代を意味する。また、倭と朝鮮半島の六カ国の使持節と都督が認められれば、日本列島だけでなく、朝鮮半島の支配権も認められることになる。しかも、前の安東将軍よりも格上の、安東大将軍の称号を求めている。しかし、このとき宋に認められたのは、前と同じく「安東将軍、倭国王」だけだった。

そして、次の倭王済のときに、日本のこれまでの外交成果が実ることになった。四五一年の朝貢で、念願の「使持節、都督倭・新羅・任那・加羅・秦韓・慕韓六国諸軍事、安東大将軍、倭国王」が認められたのである。これにより倭王は、高句麗王、百済王と並ぶ大将軍に任じられ、朝鮮半島の軍事支配権が公式に認められることになった。前回要求したときの百済を加羅に置き換えたことが効を奏したのかもしれない。

ところが、四六二年に倭王興が朝貢したときには、安東将軍に再び戻され「安東将軍、倭国王」だけが認められ、大きな降格となった。

しかし、次の倭王武は四七七年に朝貢し、翌年には宋の順帝に上表文を提出、再び地位を回復させた。倭王武の上表文はおよそ次のような内容だった。

皇帝の冊封を受けた我が国は、中国からは遠い距離にあるも、外臣として国を創っている。昔から我が祖先は、自ら甲冑をつけ、山川を歩き、安穏とした日もなく、東は毛人を征すること五十五国、西は衆夷を服すること六十六国、北の海を渡って、平らげること九十五国に及び、王道は融泰にして、広い国土を有している。我が国は代々中国に仕えて、これまで朝貢の歳を誤ることがない。自分は愚かな者だが、先代の志を継ぎ、統率する力を発揮して、天下の中心である中国に帰一し、百済を経て朝貢すべく船を整えた。

上表文は、引き続き、百済を経て宋に朝貢しようとしても、高句麗が邪魔をするようになったことを記し、父の済が高句麗討伐を計画したが、済と兄の興が続けて急死したため、討伐を延期していたところ、今、父と兄の意志を継いで高句麗を討つために、宋の皇帝の援助を求め、「開府儀同三司《かいふぎどうさんし》」の称号をはじめ「使持節、都督倭・百済・新羅・任那・加羅・秦韓・慕韓七国諸軍事、安東大将軍、倭国王」を認めてもらいたいこと、などを記している。

開府儀同三司は、最も有力な国王のみに授けられる称号で、倭王武は、高句麗討伐を名目に、この称号を求めたのだった。また、これまで実現していなかった百済の軍事支配権も求めた。開府儀同三司と百済の支配権は結局認められなかったが、「使持節、都督倭・新羅・任那・加羅・秦韓・慕韓六国諸軍事、安東大将軍、倭国王」は認められ、元の地位に復帰することができた。

冊封体制からの脱却を目指した雄略天皇の決断

しかし、日本の君主が中国王朝の皇帝から冊封を受けるのは、これが我が国にとって最後となる。倭王武が上表文を出して冊封を受けた翌四七九年、宋が滅亡し、日本からの朝貢はしばらく途絶えることになった。宋への朝貢は五十七年続いたことになる。その後、朝貢が復活しても、官爵を求めることはなくなる。日本は宋の滅亡を契機に、中国の冊封体制から抜け出すことを決めたのだ。それはいったいなぜか。

倭王武は第二十一代雄略天皇のことでほぼ間違いないと考えられている。前にもふれた稲荷山古墳（埼玉県）と江田船山古墳（熊本県）から出土した鉄剣・鉄刀に「獲加多支鹵大王」という同じ大王の銘が刻まれていて、稲荷山古墳出土鉄剣銘の「辛亥年」が四七一年と考えられ、この年代は『日本書紀』の雄略天皇の年代と一致すること、そして、雄略天皇の御名《みな》が『日本書紀』では「大泊瀬幼武天皇《おおはつせのわかたけのすめらみこと》」、また『古事記』では「大長谷若建命《おおはつせわかたけのみこと》」とされ、「大」は威厳、「はつせ」は地名であるから、「武」と「建」が名の部分であり、いずれも「たける」「たけ」と読めるため、『宋書』の記す倭王武の「武」の名と一致することなどから、倭王武は雄略天皇のこととされている。

先述の上表文では、先祖から自分の代までに日本中の地域をまとめあげてきたことを説明し、その領土を広げたことを、宋に官爵を要求する理由の一つにしているように読める。しかし、それは自分の領土を広げたから功績があるのではなく、冊封体制下にある我が国が宋の皇帝の天下にあって、皇帝のために領土を広げたという考え方に違いない。皇帝の徳を広めることができる土地が広がったことは、王化思想に適うものである。そうでなければ領土の拡大が官爵を求める理由になるわけがない。皇帝の臣下として働くことが冊封を受けた国の君主の務めなのである。

ところが、先述の稲荷山古墳出土鉄剣銘には「吾左治天下」、また江田船山古墳出土鉄刀銘には「治天下獲加多支鹵大王」とあり、文脈上も「天下」は、宋の皇帝の天下ではなく、明らかに雄略天皇の天下として語られている。雄略天皇は五代続けて宋から冊封を受けつづけてきたことに疑問を感じ、独自の天下を創り、独自の秩序を形成することを意図したのではなかったか。

そもそも、中国の正史に記されてきた「倭国王」自体が、中国の爵位であり、また「安東（大）将軍」なども中国の官位にほかならず、日本の正史『日本書紀』には見られない。冊封体制から脱却して自らの天下を創造すれば、誰からも任命されないほんとうの君主の地位を得ることになる。日本が独立国としての道を歩みはじめた最初のきっかけを作ったのが、雄略天皇だった。

もし雄略天皇がただ自らの大王の地位に固執《こしゅう》していたなら、また、ただ領土を拡大させることのみを考えていたなら、冊封から抜け出すことなど考えるはずはない。むしろ、冊封を受けていた方が、大国から「倭国王」としての揺るぎない地位が約束され、朝鮮半島でも、皇帝の名代として大将軍の肩書を持っていた方が戦いやすいはずである。しかも、冊封を受けなければ、いつ中国王朝から攻められてもおかしくない。冊封体制からの脱却は、客観的に見れば、正気の沙汰とは思えないと評価されることだろう。

日本はいくら列島を統一させ、巨大古墳を造るほどの体力を持っているとはいえ、国力は中国王朝と比べ物にならないほど小さい。日本が冊封体制から抜け出すということは、まさ

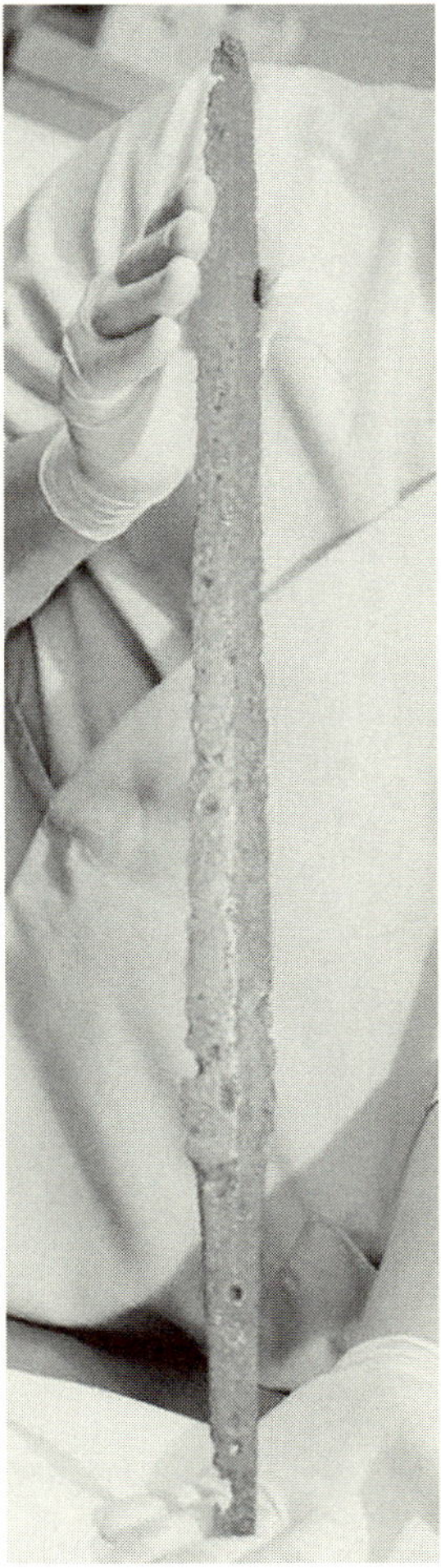

(左) 稲荷山古墳出土鉄剣（提供：時事通信）
(右) 江田船山古墳出土鉄刀（提供：共同通信）

に小舟で大海原に漕ぎ出すようなものだった。

では、なぜ雄略天皇は独立を決断したのだろう。それは、損得勘定や合理性などではなく、独立自体が、すでに目的となっていたのではないか。もし積極的な理由を見出そうとしたら、それは日本独自の文化を育むことしか思い当たる節はない。この考え方の根柢《こんてい》には「和の精神」がある。これについては、次の聖徳太子のところで掘り下げることにしよう。

聖徳太子が示した「和」の国家戦略

雄略天皇が朝貢を中断させてから、日本は約百年間、中国王朝と交通がなかった。その後、五八九年に隋が約三百年ぶりに中国統一を果たした。強大な軍事力を持つ大帝国が成立したことで、朝鮮半島の高句麗、新羅、百済はただちに朝貢したが、日本は十一年間放置した。

隋が成立したころ、日本では推古天皇が即位し、聖徳太子が、天皇に代わって政務を執る摂政に就任した。そしてようやく六〇〇年になって、聖徳太子は隋に第一次遣隋使を派遣した。日本が中国王朝に使節を送ったのは、倭王武の最後の朝貢以来、百二十二年ぶりのことである。目的は、先進文化を摂取することだった。

これを受けて、聖徳太子が打ち出した国家戦略は、日本が国家として存続していくためには、隋から最先端の文化と制度を導入しつつも、隋の冊封体制に組み込まれずに対等な地位を築くという、極めて実現困難なものだった。これを実現させるためには、日本が中央集権化を進め、律令国家を打ち立て、国力を最大限に高める必要があった。

聖徳太子は六〇三年に冠位十二階を定めて、役人の位を十二段階に分け、出生により職業が決められていた従来の制度を改め、優れた人材を登用できる制度を発足させた。そして、六〇四年には十七条の憲法を制定し、役人の心構えと理想の国家像が示されたのである。

ここで注目したいのは、十七条の憲法の冒頭を飾る一文である。

一に曰く、和を以って貴しとなし、忤《さから》うこと無きを宗《むね》とせよ。人みな党あり、また達《さと》れるもの少なし。ここをもって、あるいは君父《くんぷ》に順《したが》わず、また隣里《りんり》に違《たが》う。しかれども、上和《かみやわら》ぎ下睦《しもむつ》びて、事を論《あげつら》うに諧《かな》うときは、すなわち事理おのずから通ず。何事か成らざらん。

（一にいう。和を大切なものとし、逆らうことがないようにしなさい。人は集団を作るもので、悟れる者は少ない。だから、君主や父親に従わず、近隣の人たちともうまくゆかない。し

かし上の者も下の者も協調・親睦の気持ちをもって論議するなら、おのずと物事の道理に適い、何事も成就するものである）

聖徳太子が冒頭に示したのは「和の精神」だった。「和」は自己の主体性を保ちながら他者と協調することであり、自己の主体性を失って他者と協調する「同」とは似て非なるものである。そして、このことこそ、世界を代表する宗教が普遍的に理想とする「中道」の精神にほかならない。自己の主体性を失って協調することは容易《たやす》いが、自己の主体性を保ちながら協調するのは困難である。冊封から抜け出して攻め滅ぼされたら元も子もない。聖徳太子が、日本が再び中国王朝の冊封体制に組み込まれることを良しとしなかったのは、和の精神を貫こうとしたからではなかったか。

日本の完全なる独立

六〇七年に第二次遣隋使として隋に赴《おもむ》いた小野妹子《おののいもこ》は、独立への重要な布石となった。推古天皇が隋の煬帝《ようだい》に宛てた国書はあまりに有名である。

「日出づる処の天子、書を日没する処の天子に致す。恙《つつが》無きや」

この文書を目にした皇帝は激怒し、外交担当官の鴻臚卿《こうろけい》に「蕃夷の書に無礼あらば、また以て聞するなかれ」と命じたという。本来朝貢は主従関係の確認のための儀礼であり、天子が天子に書を致すという対等な関係ではない。皇帝の逆鱗《げきりん》に触れても無理はなかろう。しかも、この朝貢で日本は随に官爵を何も求めなかったのであるから、皇帝も余計に腹立たしかったことだろう。

ところで、煬帝が倭王に宛てた国書は『日本書紀』によると、なんと小野妹子が失くしてしまったのだという。内容は不明だが、恐らく煬帝の怒りの片鱗と、嫌みの二言三言は書かれていたものと思われる。しかし、小野妹子は国書を紛失させたような大失態を犯したにもかかわらず、お咎《とが》めを受けた形跡もない。後に妹子が再度、遣隋使に任命されていることを考えると、聖徳太子と話し合った結果、失くしたことにしたものと思われる。

これほど無礼な国書を送りつけておいて、日本が隋に攻められなかったのには、聖徳太子の計算があったはずだ。すなわち、隋は高句麗と戦争中であり、日本を敵に回すのは、日本が高句麗を助ける可能性もあり、隋の利害に反するからである。聖徳太子はその状況を上手に利用したのだろう。

六〇八年の第三次遣隋使では、さすがに同じ文面を差し出すわけにもいかず、さらなる工夫が必要とされた。そこで聖徳太子は「東の天皇、敬《つつし》みて西の皇帝に白《もう》す」と、天子でも王でもない、まったく新しい「天皇」という称号を持ち出したのである。「致す」も「白す」に変更されている。『日本書紀』が記すこの上表文が史実であれば、これが、外交文書に「天皇」が用いられた最初の例となる。

このとき、日本は「天子」と同じ称号を避けて皇帝への配慮を示したことで、別段問題を生じさせずに、冊封体制からの独立を黙認させることができた。この三回の遣隋使によって、日本は「朝貢すれども、冊封は受けず」という立場を築くことに成功したのである。その後も日本は第五次まで遣隋使を派遣し、意欲的に隋の文化を学んでいった。

そして、六一八年に隋が滅亡し、唐が中国を統一すると、またしても朝鮮三国はすぐに冊封を受けたが、やはり日本はしばらく放置し、六三〇年になってようやく使節を派遣した。しかし、このときも冊封を受けなかったため、それが慣例となり、唐に対しても「朝貢すれども、冊封は受けず」の立場を貫くことができた。

だが、日本は六六三年、百済の復興を支援するために大軍を朝鮮半島に差し向け、白村江《はくそんこう》の戦いで唐・新羅連合軍と戦い、惨敗した。そのため、その後の遣唐使は、戦後処理と国交回復の大役を担うことになった。屈辱的な場面もあったが、それでも冊封体制に再度組み込まれることはなかった。

六七三年から唐は新羅討伐に着手したため、新羅が日本と連携することが危惧された。そのため、対日政策は柔和になり、日本を冊封する意図も封印したようである。冊封を受けようとしない日本に圧力をかけず、日本からの留学生を積極的に受け入れた。そして、白村江以降も遣唐使は続けられ、日本は唐の文化を吸収しつづけた。これで日本は完全なる独立を果たしたことになる。

「天皇」号はいつから使われるようになったか

とはいえ、白村江の戦いに敗れたことは、日本にとっては手痛いことだった。宝亀九年（七七八）に唐使が来日した際には、使旨伝達の礼式をめぐって、国内で激しい意見の対立があった。この唐使来日は百五十年ぶりのことで、白村江以降でははじめてのことである。

唐使は皇帝の国書を持参していて、唐の理論によれば、これを迎える外交儀礼は、朝貢国の君主が下位、宗主国の使者が上位とするのが当然のこととされていた。しかし、これをやむなしとする公家と、屈辱を受けるべきでないとする公家が激しく対立した結果、唐の定めるしきたりに従うことになった。唐使の使旨伝達の儀式について『続日本紀』は、国書と贈

中宮寺に伝わる「天寿国繍帳」
（出典：『世界美術図譜 日本編』第6集、東京堂書店）

物が奉呈されたことしか記していないが、公家の日記によると、どうやら光《こう》仁《にん》天皇は御座《ござ》を降りたらしい。

これをもって、日本が中国王朝の冊封に組み込まれたとする見解もあるが、少なくとも唐から冊封を受けたことは一度もなく、天皇が御座を降りたことをもって、我が国の独立が否定されたわけではない。

さて、天皇号の成立については推古朝説と天武朝説が主張されている。これまで天武朝説が有力とされていたが、その根拠は薄く疑問も提示されている。近年では推古朝説が有力になりつつある。

奈良時代「天皇」は「すめらみこと」と読まれていた。明らかに充て字である。ということは、「天皇」という漢語の君主号よりも前に「すめらみこと」が独立して成立していたことを意味する。天皇は天つ神の子孫であるという記紀の考え方に基づき、これに適合する漢語の「天皇」を借用して充てたものと考えられる。

また、斑鳩《いかるが》の中宮寺《ちゅうぐうじ》に伝わる天寿国繡帳《てんじゅこくしゅうちょう》は、聖徳太子が没した推古三十年（六二二）から推古末年（六二八）までの作品とされていて、そこに「天皇」が四度書かれている。この史料は推古朝説を補強するものである。

私は、漢語の「天皇」号が成立したのは推古天皇の時代で、「すめらみこと」は推古天皇より前に成立していたと考えている。これがどこまで遡れるかは史料がないため確かではないが、大和言葉であるため、数百年遡ってもおかしくはないだろう。

ついに「日本」を名乗ったとき

聖徳太子の新政には、対等外交を目指した遣隋使の派遣の他、冠位十二階と十七条憲法などがあったが、いずれも、中央集権化を進めた先にある律令国家の完成を目指したものだった。聖徳太子亡き後、乙巳《いっし》の変とそれに続く大化の改新、さらには、日本が唐・新羅連合軍と戦った白村江の戦いなどにより中央集権化が進んだ。壬申の乱の後、天武天皇は中国王朝からの文化的離脱を目指して律令国家体制の構築を進めた。そして『古事記』『日本書紀』

を編纂し、藤原京遷都で都市機能を強化し、大宝《たいほう》律令を完成させ、独自の元号を立てるなど、日本の自立性を徹底的に強化して、律令国家としての日本国が完成する。

特に文武天皇の大宝元年（七〇一）に大宝律令が定められたのは、大きな意義があった。通常、中国王朝の冊封を受けていれば中国の律令を用いるため、自らこれを持つ必要はない。日本が自前の律令を定めたことは、中国王朝の秩序から独立していることの証でもある。

そして、大宝律令完成の翌大宝二年（七〇二）の遣唐使は、律令国家日本の成立を物語る重要な意味を持つものだった。このときの遣唐使は、国号を「日本」に決めた旨を唐に正式に伝達したのである。唐の正史『旧唐書』は国号変更の理由として、①「日の辺りに在るを以て、故に日本を以て名となす」、②「倭国自らその名雅《みや》びならざるを悪《にく》み、改めて日本となす」、③「日本は旧《もと》小国、倭国の地を併す」などの三つの見解を掲載し、あまりよく理解できなかったように記している。

日本が倭国を滅ぼしたわけではないので③は不適切だが、①と②は正しい見解といえよう。①は推古天皇の国書に見える「日出づる処」の発想に通じるものがあり、また②については、そもそも「倭」「倭人」「倭国」などは中国側が付けた名称に過ぎず、日本人が名乗っ

たものではない。

中華思想を持つ中国王朝は、周辺諸国を野蛮な国と見做し、見下したような名称を付けてきた。日本人（縄文人）は背が低い傾向があり、そのため、背が小さいことを示す「矮」の字とかけて「倭」としたのではないかといわれている。もしそうなら、「南蛮」が「南のおばか」、「北狄」が「北のあほう」のように、「倭人」は「おちびちゃん」というような意味合いを持っていたことになろう。そして、日本人は対外的には自らを「倭」と称していたのである。

大宝律令が定められ、律令国家が完成段階に達したときに、日本は独自の国号を立て、唐の皇帝に通知した。このことは、日本の完全なる独立を象徴する出来事だった。もし、中国の冊封を受けていたら、皇帝の許可なく勝手に国号を変えられるはずはない。これで日本は「倭」からの脱却を果たしたことになる。

ところで、推古天皇の第三次遣隋使で天皇号を用いたことはすでに述べたが、中国の歴史書によれば、それまで天皇には名字が与えられていたようである。『宋書』本紀には「安東将軍倭王倭済」という表記がある。倭の五王の一人である済は「倭済」、すなわち姓が倭、名が済とされていた。百済王が「余」姓、高句麗王が「高」姓であったように、当時の日本も王の姓と国号は、いずれも中国王朝から賜《たま》わった「倭」であり、中国の冊封体制のなかにあることが分かる。親が子に、飼い主が飼い犬に名を付けるように、名を与えるのは支配の重要な要素の一つである。しかし、天皇号が立てられてからは天皇に姓はなくなり、現在に至る。

日本がいつ成立したかは本書の大きな主題であるが、律令国家が整備され、日本国号が定まった途端に日本が成立したわけではない。天皇号が成立した途端に天皇が成立したわけではないのと同じである。それより前に、すでに日本と天皇の実態はあった。また、国号を「倭」から「日本」に変更したからといって、国としての連続性が損《そこ》なわれたわけではない。

したがって、律令国家の完成と、日本国号と天皇号の成立は、日本の完全なる独立を象徴するものだが、このときに日本という国が成立したわけではない。

それまで大陸から隔絶された環境にあった日本は、独自の文化を育み、個性的な社会を作り上げてきた。東アジアにおける中国王朝は、文化水準が高く、国力も強く、強大な覇権国として存在していた。日本がその中国王朝の冊封に入ることを拒むことにより、適切な距離を保つことができた。これにより、日本は日本として輝くことができたのである。

第六章

国を知ること、国を愛すること

前章では、日本が律令国家を完成させ、中国王朝の冊封体制から離脱することで、完全なる独立を成し遂げたことを述べた。本章は、その後、我が国が独立を保ちつづけてきたことを確認するところから始めたい。世界の歴史は、王朝興亡の歴史である。たとえ独立国となっても、これを長年保ちつづけることは難しい。

では、なぜ二千年もの間、我々の先祖は国を守り伝える努力と挑戦を続けることができたのだろう。それは先人たちが日本を愛し、日本に誇りを持っていたからではなかったか。日本精神の根柢に流れるのは「愛」だった。本章では、国家とは何か、国を愛するとはどのようなことかを論じ、第Ⅰ部の総括としたい。

本書は、現代日本人があまりに日本について知らな過ぎることを問題視するところから書きはじめた。特に、普及している中学の歴史教科書は、どこにも建国の経緯を記していない。日本人は、日本がいつどのようにしてできたのか、知らないのである。

現代社会において、国家なくして市民生活は成り立たない。私たちは好き嫌いにかかわりなく、日本人として生を受けた。日本の国の成り立ちを知り、先人たちが苦労しながら国家の独立を守ってきたことを知れば、現在、日本国がかくも立派に存在していることの意味を知ることができるのではないかと思う。

冊封を拒んで元に攻められた日本

すでに述べてきたように、聖徳太子以降、日本は中国王朝に対して、対等外交を原則とするようになった。遣隋使と遣唐使の派遣により、日本は「朝貢すれども、冊封は受けず」の立場を築いてきた。これにより、日本は完全なる独立を実現させた。その後、連合国に占領された期間を除くと、現在に至るまでのおよそ千四百年間、日本は独立を維持してきたのである。

唐が九〇七年に滅亡すると、五代十国の内乱の時代を経て、北宋が九七九年に統一を果たした。北宋・南宋と日本の間では貿易は盛んに行われたものの、藤原氏や平氏、その他民間の商人によるものであり、公式の外交関係は結ばれず、使節の往来はなかった。そのため、日本は朝貢することもなく、中国王朝の冊封とも無関係でいられた。

しかし、朝貢も冊封も拒むことは、中国王朝の討伐の対象となり、いつ攻められてもおかしくない。実際に日本は中国王朝へ従属することを拒んで攻め込まれたことがあった。次の元の時代には、フビライは日本を服属させようと日本に使者を送ったが、鎌倉幕府の執権北条時宗は、これを頑《かたく》なに拒み、使者を追い返した。服属しない日本を力づくで抑え込もうとした元は、日本の侵略を目指して二度も大軍をよこしたが、二度とも神風が吹いて打ち払われ、また、鎌倉武士が健闘したこともあり、元の目論見《もくろみ》は失敗に終わった。このため、日本は元に対して、朝貢せず冊封も受けない立場を貫くことができた。

次の明の時代、十五世紀になって、室町幕府第三代将軍だった足利義満《あしかがよしみつ》が中国の明王朝から「日本国王」に冊封された例外があるので、これについて確認する必要があろう。義満が冊封を受けた背景には、その前段階となる懐良《かねよし》親王の例がある。

十四世紀の日本は南北朝時代にあり、南朝と北朝の二つの王朝が正統性を争う特殊な状況にあった。中国の史料『明太祖実録』(正史ではない)によると、南朝の征西将軍として九州にいた後醍醐《ごだいご》天皇皇子の懐良親王が、明から倭寇の取り締まりの要請を受けたことを機に、明の皇帝から「日本国王良懐」の称号を受けたという。もしこれが事実とすれば、形式上明から冊封を受けたことになる。このことは、懐良親王が「日本国王」の称号を持つことで、北朝に対して自らの勢力の正統性を主張することを目論んだものと思われる。

しかし、明が「日本国」と認定した征西将軍宮懐良親王は、南朝でも北朝でもない、南朝の出先機関に過ぎなかった。南北朝の天皇を差し置いて、将軍宮に国王の称号を与えるなど、最初から筋違いというべきだろう。しかも、明の洪武帝が派遣した冊封使が博多に到着したときにはすでに懐良は没落していて、とても国王としての実権を行使できる状況にはなかったため、実質的には冊封を受けたことにはならない。このことから、明は杜撰な外交をしていたことが分かる。

「日本国王」の冊封を受けた足利義満

その後、足利義満は明との貿易を独占するために、明の皇帝から「日本国王」の冊封を受けようとするが、当初、明は義満のことを「懐良親王と日本の国王位を争っている北朝の臣下」と見做し、通行を許さなかった。

そこで義満は太政大臣を辞して出家したことで天皇の臣下ではなくなり、応永《おうえい》八年（一四〇一）に「日本国准三后源道義」の名義で明に使節を派遣し、ついに明の建文帝が義満を「日本国王源道義」に冊封した。義満は北山第《きたやまだい》に明使を迎え、自ら拝跪《はいき》して詔書を受けたという。そして、応永十一年（一四〇四）に、日本国王が皇帝に朝貢する形式をとった日明貿易（勘合貿易）が始まり、義満は明の要請どおりに倭寇を鎮圧した。

しかし、義満は天皇に任命されて将軍になったのであり、義満が中国王朝から日本国王に任命されるのもまったくの筋違いである。もし現代にたとえるなら、天皇の任命を受けた内閣総理大臣が、中国国家主席から「日本国総理大臣」の称号を受け、中国からの使いを官邸に招き入れて任命書を受け取るようなものである。義満は天皇の座を狙っていたともいわれるが、そうでなければこのような暴挙に出ることはできなかったろう。だが、義満が冊封を受けたのも、ほんの数年間だけだった。

このように、懐良親王は北朝に対抗する正統性を得るため、また義満は日明の貿易を独占して権益を得て、また、天皇をも凌《しの》ぐ権威を手に入れるために、中国王朝を利用し、冊封を受けたのだった。特に義満は、日明貿易により膨大な利潤を手に入れ、私腹を肥やした。義満の行動は、国の利益を犠牲にして、自分の利益を求めた身勝手なものだったというべきだろう。

しかしながら、懐良親王と足利義満の例は、日本国の君主たる天皇が冊封を受けたわけではなく、日本がにわかに独立を失い、中国王朝の冊封体制に組み込まれたわけではないことを確認しておきたい。

足利義満が没すると、日明貿易は朝貢の形式をとっていたため、日本の体面を汚《けが》すと考えた第四代将軍の足利義持《よしもち》は、日明貿易を中断させた。これ以降、将軍が中国王朝から冊封を受けることはなくなる。

日明貿易は幕府に莫大な利益をもたらすため、幕府の財政状況の悪化を考慮した第六代将軍足利義教《よしのり》によって再開され、第十三代将軍足利義輝《よしてる》の代まで続けられた。しかし、日明貿易が続けられた期間、「日本国王」の称号は用いられたものの、将軍が冊封を受けた記録は見えない。

大国と距離を保つということ

中国王朝が日本を冊封体制に組み込もうとした際に、足利義満と正反対の対応をしたのは豊臣秀吉だった。安土桃山時代、秀吉が朝鮮に出兵した文禄《ぶんろく》の役の講和のために、日本を訪れた明の使者は、秀吉を日本国王に封じ、金印を与えようとしたところ、秀吉はこれに激怒した。そして、秀吉は再度の出兵を決意し、慶長《けいちょう》の役に突入することになった。

義満は明の力を借りて自己の力を高めようとしたが、秀吉は明そのものを攻め滅ぼすことを考えていた。冊封について、この姿勢と器の違いが表れたのだと思う。

明が滅亡し、清の時代が訪れると、冊封体制は強化され、その範囲は東アジアだけでなく、北アジアと東南アジアにまで及んだ。それでも日本は冊封を受けることを拒みつづけた。清代において、インド以東で清の冊封体制に入らなかったのは、ムガール帝国と日本だけだった。

それどころか、中国王朝の冊封体制を崩壊させたのは日本だった。十九世紀には西欧列強がアジアに進出し、清はアヘン戦争に敗北、清仏戦争にも敗れて、ヴェトナムがフランス領となっていた。明治二十八年（光緒二十一年、一八九五）に、清は日清戦争で日本に負ける。日本は下関条約によって、清の最後の冊封国だった朝鮮を独立国として認めさせ、これをもって朝鮮が独立を果たし、中国王朝の冊封体制は完全に機能を停止したのである。辛亥革命で清朝が滅亡する十七年前のことである。

ところで、日本が他国から朝貢を受けることがあったことについてもふれておきたい。高句麗滅亡後にその遺民である大祚栄《だいそえい》が六九八年に建国した渤海《ぼっかい》は、唐・新羅と対立していた時期に、これらを牽制《けんせい》するために日本に朝貢するようになった。当初は軍事同盟の性格が強かったが、渤海と唐の関係が改善すると、渤海使は文化と商業の色彩を強めたものの、日本への朝貢の形式は最後まで残った。朝貢であるため、日本は何倍もの回賜を与える義務があり、途中から朝貢の頻度を十二年に一度に制限し、渤海が滅亡する九二六年まで約二百年間続けられた。

そして、『隋書』倭国伝には、新羅と百済が日本に朝貢した記録があり、これは『日本書紀』の記述と一致するため、史実と考えられる。また、百済が滅亡し、唐の勢いを恐れた耽《たん》羅《ら》国が七世紀に日本に朝貢した記録が残っている。耽羅国は済州島にあった国である。

これまで見てきたように、遣隋使と遣唐使によって日本の独立が完成した後も、日本は長期間に亘ってその地位を保ちつづけてきたのである。我が国の歴史において、いわゆる倭の五王の例を除けば、日本は東アジアにおいて、中国王朝とは対等国としての距離を常に保ってきた。このことは、日本の本質を考えるうえで核心的な意味を持っている。

日本は中国王朝の冊封体制から抜け出すために、独自の律令を定め、独自の元号を立て、都市を整備し、貨幣を鋳造《ちゆうぞう》し、中央集権化を進め、律令国家を完成させてきた。これにより、時代の流れに左右されない独立国としての基礎が固まったのである。そしてこのことは、日本が独自の文化を守り発展させることにつながった。二千年にも及ぶ王朝を継続していくというのは、そういうことなのだ。

日本は雄略天皇の時代から、中国と一定の距離を保ちつづけてきた。中国と距離を持つことは、一見中国から攻められる口実となるため、不安定要素のように思われるが、事実として、中国と友好関係を結んできた周辺国は悉《ことごと》く国を滅亡させてきた。朝鮮半島も良い例である。中国と一定の距離を保つことにより、日本はむしろ安定した位置を確保することに成功したのではあるまいか。これは現在についても同様であると思う。「日中友好」とは、両者が極限まで歩み寄ることではなく、適切な距離を保ったうえではじめて安定的な関係を築くことができるであろう。

これで、雄略天皇の時代から、大戦後の占領期を除けば、我が国は一貫して独立を保ってきたことを確認できた。ところで、王朝の連続性について関心を持つ読者もいることだろう。崇神天皇を初代天皇とする崇神王朝説、応神天皇もしくは仁徳天皇のときに王朝交代があったとする河内王朝説、応神天皇騎馬民族説、継体天皇王朝説などがそれである。確かに、戦後に王朝の連続性を否定しようとする流行があり、数々の王朝断絶説が提示されてきたが、結論としては、今や学問的にすべて否定されている。拙著『語られなかった皇族たちの真実』(小学館)と『旧皇族が語る天皇の日本史』に一部解説してあるので参照されたい。

国家とは何か

これまで、日本がいつどのようにできたのか、そしてどのように独立を守ってきたのかを探ってきた。本書の記述は、これまで学校教育で教えられてきた歴史とはずいぶん違ったものだったはずだ。本書が綴ってきた日本の国の成り立ちの歴史は、日本の特殊性を示していて、そこには日本人の誇りを守ろうとしてきた先人たちの思いが込められている。

日本はいつできたのだろう。実はこの問いに明確に答えるのは簡単ではない。その理由は主に二つあり、一つは、文字のない時代に国が成立していること、もう一つは、国家の定義が様々で、何をもって国家とするか意見が分かれていることである。

考古学や歴史学では、日本における古代国家の形成の議論を「七五三論争」という場合がある。これは、古代国家の成立を、巨大古墳が出現し古墳時代が始まった三世紀前期と考えるか、日本列島を統一した大和朝廷が中国の冊封を受けた五世紀と考えるか、もしくは、律令国家が成立した七世紀後半と考えるか、といった議論で、これらはいずれかが正しいというものではなく、国家の定義をどうとらえるかという違いに過ぎない。

これは、統治機構の統治機能の高さと、統治領域の広さの二つの要素のどちらに重きを置くかによって評価が分かれる。高度な統治機構があることを条件とするなら七世紀、一定の領域を統治していることを条件とするなら三世紀に古代国家が成立していたことになろう。いずれの説をとるにしても、七・五・三世紀はそれぞれ古代国家形成における重大な転換点を迎えた時期であることに変わりはない。

ただし、もし七世紀の律令国家の完成をもって古代国家が成立したとの立場に立ったとしても、そのときに突如として新しい勢力が新国家を樹立したわけではない。何百年も前から国を治めてきた君主があって、律令国家完成で君主が交代した事実もなく、国としての連続性は途切れていない。律令国家完成前であっても、高度な統治機構を持つ国家を整備する途中段階の国家類型の一つであることを否定することはできまい。

日本の国の成り立ちは世界的に特殊である。日本列島に成立した一地方政権が、徐々に領域を拡大して、やがて日本列島の大半を整備するようになり、最初は中国の冊封を受けていたが、国家としての自立性を高めていき、やがて中国の冊封を受けなくなり、独立した国家としての地位を固めていったのである。どの段階で国家の体を成したと考えるかは、国家の定義の問題であって、日本の歴史の問題ではない。

もし「七五三」のいずれが適切かというなら、三世紀前期の巨大古墳の出現をもって古代国家の成立と見るべきだと思う。巨大古墳を造営する統治機構が国家でないはずがない。巨大古墳の造営は、広範囲に亘って民を統治していたからできた大仕事に違いないからだ。

しかし私は、「七五三」の三世紀ではなく、神武天皇即位をもって日本の国の成立と考えている。これは、現在の日本政府と国会の見解と一致している。なぜなら、現在の日本は法律により『日本書紀』が神武天皇即位と記している日を「建国記念の日」(二月十一日)としているからである。もし五世紀の倭の五王の朝貢を建国とするなら、朝貢した日を、また大宝元年（七〇一）の大宝律令の完成を建国とするなら、大宝律令を定めた日を「建国記念の日」にしなければなるまい。

国家成立の作用を建国というなら、建国に一定の時間を要した場合、建国の始まりをもって建国とするのはよくあることだ。たとえば、フランス革命が始まった日がフランスの建国を祝う日になっている。日本の君主は天皇であり、初代天皇の即位を建国の日とするのは、むしろ当然であろう。日本建国を祝う日はこの日以外に存在しない。

ところで、現代国際法によれば、国家成立の要件は、①一定の国土がある、②国民がいる、③実効的政府がある、④外交能力を持つ、の四点で、一定地域において、その国の政府がその住民を統治する権力を安定的かつ持続的に確立していることが必要と考えられている。

この基準に照らし合わせるならば、国の体制や権力の構造は国家の要件とは無関係で、ヤマト王権は立派な国家であり、また神武天皇即位により確立された王権も立派な国家だったことになろう。住民を統治する権力が安定的かつ持続的に確立していることは、神武建国から現在まで一貫して継続している。

現在は「国家」といえば、近代国家を指す。近代国家の典型の一つに国民国家、すなわちネーション・ステートという国家概念があるが、これは領域内のすべての住民を国民としてまとめた国家、もしくは単一の民族がそのまま主権国として成立した国家である。ドイツ三十年戦争後のウェストファリア条約によって主権国家体制ができ、それらの国家が十八世紀から十九世紀にかけて、市民革命を経て成立させたのが国民国家とされている。

欧州におけるそれ以前の国家は王朝国家であり、日本も王朝国家を営んできた。日本は明治維新によって国民国家を創ったというのが一般的な考えだが、私はそれに疑問を持っている。天皇はいつの時代も国民一人ひとりの幸せを祈る存在でありつづけた。古代から一貫して国民本位の政治を行ってきた国は、日本以外に私は知らない。古代から宗教の自由が認められていたことは第四章で述べたとおりである。日本国民は昔から国民だったのであり、明治維新に国民としての地位を手に入れたわけではない。したがって、日本は王朝国家でありながら、世界最古の国民国家でもあるのではないだろうか。

●●・国を愛するとは何か・●●

我が国が今、独立国として存在しているのは、偶然か必然か。

我が国は初代神武天皇の即位から二千六百七十年以上続いてきた。もし三世紀を建国と見ても、千八百年続いてきたことになる。いずれにしても、我が国は現存する世界最古の国家であることに間違いはない。王朝の交代が世界の歴史であり、日本が一度も王朝交代を経験せずに現在に至るのは、世界史の奇跡の一つであろう。

もし民が国家への不満を募らせたなら、いつでも国家を潰すことができたはずだ。天皇の住居は京都御所に見えるように、濠も石垣も櫓《やぐら》もない、まったく無防備な造りになっている。天皇を暗殺しようと思えば、誰でも簡単にできたはずである。しかし、武将や豪族をはじめ農民に至るまで、誰も天皇をなくそうと考え、実行した者はいなかった。

それは、我が国が神武建国当初から、相当進んだ国家運営をしてきたからではなかったか。もちろん、暦を作り、位階を定め、律令を定めるといったことは、日本は中国王朝から学んだ。しかし、当の中国王朝は、日本が律令国家を完成させるまでの間だけでも、何度も王朝が交代してきた。日本が進んでいたのは、神武建国の当時から、国民本位の政治を行ってきたことだと思う。国民本位の政治が行われていたら、国を転覆させる必要はないからだ。

欧州では長い間、国王本位の政治が行われてきた。国民本位の政治が行われるようになるのはフランス革命を待たなければならない。まして中華人民共和国では、いまだに人民に人権が与えられていない状況にあり、国民本位の政治とは程遠い。

日本では戦争なくして統一王権が成立し、その時代にすでに宗教の自由が認められ、国民は天皇を支持しつづけてきた。『日本書紀』には、民のために天皇が存在するという仁徳天皇の御言葉が記されているが、その言葉はただの理想ではなく、これを実践しつづけてきたのが日本の歴史なのである。天皇が国民を愛することが、国民本位の政治が行われる前提であり、有史以来、天皇は国民一人ひとりの幸せを祈りつづけてきた。

日本が長い間、国家を保ちつづけてきたのは、いつの時代も天皇が国民を愛し、そして国民が国を愛してきたからではないだろうか。東日本大震災で被災地を御訪問になった天皇陛下のお姿に、国民を愛する陛下のお気持ちを見た人は大勢いるはずだ。これからも未来永劫、日本の天皇は国民を愛しつづけることだろう。

しかし、国民が国を愛さなくなったら、国は滅ぶ。

「愛国」というと右翼と思われる昨今だが、愛国は中道であって、なにも右翼のものではない。世の中全体が左に傾いているおかげで、中道のことをいうと、右翼と思われてしまうようだ。これだけ物のあふれる自由で豊かで安全で、しかも文化の香りの高い社会に暮らしていて、国を愛して何が悪いのか。むしろ、これだけの大きな恩恵を受けていながら、国を愛さない方がおかしいと私は思う。

しかし、国を愛する気持ちが薄いのは、その人のせいともいえない。学校教育で日本のことを教えなくなったのであるから、当然の結果ではないだろうか。最も日本のことを教えることができる可能性のある中学の歴史の授業でさえ、その教科書に日本の建国の経緯さえ書いていないのが現実なのだ。それでは、子供たちが日本の国の成り立ちや、国を守ってきた先人たちの気持ちを知るはずもなく、愛国心が持てなくても無理はない。

それにしても、現代日本人は日本のことを知らな過ぎる。神話を学び、そして、我々の先祖がどのような思いで国を建て、自立性を高め、独立の地位を確保し、それを維持してきたか、それを知れば国を愛さずにはいられないはずだ。現代日本人は、もっと日本の歴史、特に建国の歴史を学ぶべきだろう。

二千年に及ぶ努力の結晶が現在の日本である。しかし、日本の歩んできた道は、決して順風満帆ではなく、むしろ、常に薄氷を踏むような緊張の連続だった。それでも先人たちは知恵を絞り、努力を惜しまなかった。国が守られたのは偶然ではなく、そこには天皇と国民の努力があった。我が国が危機を乗り越えてきたのを「神風」と表現することがあるが、国民が努力をしなければ神風は吹かない。神風は吹くものではなく、吹かせるものなのだ。

先人たちの苦労と情熱の片鱗を知るだけでも、今、日本が国家として存続していることの尊さを覚えるだろう。日本は本質的に素晴らしいものを持っている。日本人は日本のことを知れば知るほど、日本国に対する敬愛の念を深めるに違いない。それが日本を守り、後世に伝えていくことになると私は信じている。本書を、世界でいちばん人気がある日本人が、自分たち自身に自信を持たせるきっかけにしてもらえたら幸いである。

第Ⅱ部

子供に読ませたい建国の教科書

（文部科学省検定未合格教科書　中学校社会科）

第Ⅰ部の第一章「日本の教科書は世界の非常識」で、普及している中学の歴史教科書に問題があることを指摘した。批判するだけでは無責任なので、このような教科書を使うべきだといえるものを提示したいと思う。

中学の社会科には「歴史」という科目があり、日本史と世界史をまとめて一冊の教科書で教えている。また、高校の社会科には「日本史」という科目があるが、ほとんどの自治体で選択科目となっている。

第Ⅱ部は、中学の歴史の教科書を想定し、世界史を含むかたちで「国史」の教科書を書き起こしたものである。日本人のための歴史を学べるように書いた教科書で、主題が建国なので、「子供に読ませたい建国の教科書」と名付けた。あらゆる学問の成果を踏まえて、あえて人類の起源から書きはじめ、日本が律令国家を完成させるまでの期間を収録してある。

現行の教科書には、学術的に完全に否定されたものまで残っている箇所がある。そのように、明らかな誤りがあるだけでなく、日本人が誇りに思えることは極力書かないようにしているように見える。教科書ですら誤りがあると聞いて驚く人もいることだろう。世の中には完全に正しい書物などあるものではない。私なりのこの教科書も無条件に信じるのではなく、疑問を感じたら自分で調べるようにしてほしいと思う。

1 先土器時代以前

㋑ 日本列島の誕生

今から約千三百年前の奈良時代に、第四十代**天武《てんむ》天皇**の命令によって編纂《へんさん》された『**古事《こじ》記《き》**』と『**日本書紀《にほんしょき》**』が、我が国最古の歴史書です。両方を合わせて「**記紀《きき》**」といいます。そこには、日本列島誕生の神話が書かれています。それによると、宇宙空間に最初に出現した神々の末っ子の**伊耶那岐神《いざなきのかみ》**と**伊耶那美神《いざなみのかみ》**が、日本列島の島々を生んだと伝えられています(コラム01参照)。記紀神話は、書かれていることが事実かではなく、編纂当時の日本人の先祖が、そのように考えることにしたものだと理解してください(01)。

ところで、キリスト教とユダヤ教の聖典である『**旧約聖書**』の創世記は、神が五日と半日で宇宙と世界を創ったと伝えています。またイスラム教の聖典である『**コーラン**』は、アラ

人類の類型

	年代	脳の容量	例	現況
猿人	約500万年前	400cc	アウストラロピテクス	絶滅
原人	約180万年前	1,000cc	北京原人	絶滅
旧人	約20万年前	1,300cc	ネアンデルタール人	絶滅
新人	約4万年前	1,500cc	現生人類	現存

ーの神がすべてを創造したと伝え、また仏教は、宇宙には始まりも終わりもなく生と滅を繰り返しているという「無始無終」を説いていて、世界がどのようにできたか、宗教によっていろいろな考え方があります。やはり、どれが事実かではなく、それぞれに真実があると見るべきです。一方、現代科学の知識によると、地球は約四十六億年前に隕石《いんせき》どうしが衝突してできたことが分かっています。

ロ 人の起源

人の起源については、実はまだよく分かっていません。これも宗教によって考え方は異なります。現代科学はいくつかの学説を示しています。

一つの有力な説として、人間はサルから進化したとする**進化論**があります。この説によると、木の上で生活していたサルが、環境が変化して草原で暮らすようになり、二足歩行をするようになったのが**猿人**だと考えられています。そして、その猿人が手を使うようになって脳が発達し、さらに進化したのが**原人**で、そこからさらに進化したのが**旧人**(02)、そして**新人**(現生《げんせい》人類=ホモ・サピエンス)です。私たちはこの新人にあたります。

アフリカに出現した原人の一部は、ヨーロッパとアジアに行き、そこから世界中に広がっていったと考えられています。地球は温暖期と寒冷期を交互に繰り返してきましたが、いちばん近いところでは、約百万年前から地球は**氷河期**に入っていました。氷河期には海面が今より約一〇〇メートル低く、日本列島は大陸と地続きになることがありました。この時代に大陸からナウマンゾウ、マンモス、大角鹿《おおつのじか》などの大型動物が渡ってきて、それを追ってきた人たちが数万年前から日本に住みつくようになったと考えられます。

ところが、人の起源については、まだ分からないことが多く、進化論は日本では広く支持

(01)『古事記』と『日本書紀』は両方とも天武天皇の命令によって編纂された歴史書です。同じ時代に二つの歴史書が書かれたのには理由があります。『古事記』は日本国内向けで文学的要素が強く、天皇の根拠を明確にする意図があるものと思われます。一方『日本書紀』は外国に向けて正史を伝えるためのものと思われます。

(02)これまでの調査の結果、北京原人は火を使っていたことが分かっています。また、ネアンデルタール人(旧人)は墓に花を添えていたことが確認されています。遺体の頭の周辺に複数の鹿の角を立てていた例も見られます。

されていますが、欧米やイスラム諸国では根強い批判があり、定説はありません。人はサルから進化したのではなく、最初から人だった、という根強い反対論もあります(03)。ちなみに『古事記』には宇宙の起源と人の起源について記述はありません。

八 日本の磨製石器は世界最古

人類の文化は、石を砕いて**打製石器**を作り、狩猟をしたところから始まります。まだ土器が出現する前の段階なので**先土器文化**と呼び、その時代を**先土器時代**といいます。この時期は氷河期でした。一方、世界史の区分によると、考古学ではこの時代を**旧石器時代**といいます。

日本では長らく先土器時代の石器が発見されてこなかったため、先土器文化はないものと考えられていました。ところが、昭和二十一年（一九四六）にアマチュア研究家の相沢忠洋《あいざわただひろ》が、群馬県**岩宿**《いわじゅく》**遺跡**の関東ローム層(04)のなかから石器を掘り出し、我が国の考古学史上の大発見となりました。これにより、日本にも先土器文化があったことが確認されたのです。

世界史では、打製石器が普及した後に、石を磨いて作った**磨製石器**が出現し、旧石器時代から**新石器時代**に移行しますが、日本ではなぜか最も古い年代の石器が磨製石器で、その理由は謎とされています。それどころか、日本各地の遺跡で発見された初期の局部磨製石斧《きょくぶませいせきふ》(05)は、約三万五千年前のもので、現在のところ世界最古の磨製石器とされています。ただし、先土器時代については不明な点が多く、今後の研究成果が期待されます。

この時代の人たちは、石器を使って狩猟し、植物を採取して、獲物を求めて移動しながら、簡単な小屋や、洞窟・岩陰などで生活していました。また、火を使っていたことが分かっています。そして、当時日本に住んでいた先土器時代人は、現在の日本人の先祖です。

(03) 猿人と原人との中間種が一体も発見されていないことと、この二つの間には脳の容量をはじめ様々な点で大きな差があることなどから、猿人が進化したのが原人であるとは認められないとの主張があります。

(04) 関東ローム層とは、関東地方の地層で、約一万年前から四十万年前に形成された堆積《たいせき》層と考えられています。この時代は地質学では洪積世《こうせきせい》にあたります。

(05) 局部磨製石斧とは、刃先を研磨した石斧のことで、狩猟や木の伐採、その他様々な目的に用いられたと考えられています。最初の発見は岩宿遺跡で、全国一〇〇以上の遺跡から発見されています。

コラム 01

『古事記』の国生み物語

宇宙が成立して、最初に高天原《たかまのはら》（天上世界）に成った神は、**天之御中主神**《あめのみなかぬしのかみ》でした。しかし、この神はすぐに姿をお隠しになりました。その後、まもなく**高御産巣日神**《たかみむすひのかみ》、続けて**神産巣日神**《かむむすひのかみ》が成りましたが、同じようにすぐに姿をお隠しになりました。

このとき、大地はまだ若く、水に浮く脂《あぶら》のようで、海月《くらげ》のように漂っていて、しっかりと固まっていませんでした。ところが、葦《あし》の芽のように伸びてきたものから、宇摩志阿斯訶備比古遅神《うましあしかびひこぢのかみ》、天之常立神《あめのとこたちのかみ》が成りました。この神々も姿をお隠しになります。これまでに成った五柱《いつはしら》（神は「一人、二人」ではなく、「一柱《ひとはしら》、二柱《ふたはしら》」と数える）の神は、宇宙が誕生した早い時期に成った特別の神なので、**別天神**《ことあまつかみ》と申し上げます。

その後、国之常立神《くにのとこたちのかみ》と豊雲野神《とよくものかみ》が成りますが、この神々も姿をお隠しになりました。そして次にはじめて男神《おがみ》と女神《めがみ》が成ります。宇比地邇神《うひじにのかみ》と妻の須比智邇神《すひちにのかみ》をはじめ、五対の神が成りました。そのうち、最後に成ったのが**伊耶那岐神**と妻の**伊耶那美神**です。国之常立神から伊耶那岐神と伊耶那美神までの七代《ななよ》の神を「**神世七代**《かみよのななよ》」と申し上げます。

別天神と神世七代の神々は、末っ子の伊耶那岐神と伊耶那美神に、下界の海をお指し示しになり「この漂っている国を固めて治めなさい」と命ぜられました。二柱の神は、天空に浮いてかかる天浮橋《あめのうきはし》にお立ちになって、海に矛《ほこ》を下ろし、海水を「こおろ、こおろ」と掻《か》き鳴らして矛を引き上げました。すると、その先から海水が滴《したた》り落ち、塩が固まって島ができました。これが淤能碁呂島《おのごろしま》です。二柱の神はこの島に降り立ちました。

このとき伊耶那岐神は、自分の下半身に何か不思議なものがぶら下がっているのにお気付きになり「あなたの体はどのようになっているか」とお尋ねになりました。すると伊耶那美神は「私の体はすでにできあがっているのですが、一カ所だけ何か足りずに、くぼんでいるところがあります」とお答えになったので、伊耶那岐神は「私の体もすでにできあがっているが、一カ所だけ何か余って、出っ張っているところがある。私の出っ張っているものを、あなたのくぼんでいる穴に挿《さ》し入れて、塞《ふさ》いで、国を生もうと思う」と仰《おお》せになると、伊耶那美神はこれに賛成なさいました。

そして、まぐわい（夫婦の交わり）をして、国を生むことになさいました。二柱の神は左右から天之御柱《あめのみはしら》を回り、出会った場所で、伊耶那美神が「あなたは、なんていい男なんでしょう！」、続けて伊耶那岐神が「あなたは、なんていい女なんだろう！」とおっしゃいました。そして、二柱の神は神殿の寝室で、まぐわいをなさいました。

しかし、生まれてきたのは手足のない水蛭子《ひるこ》でした。二柱の神はお悲しみになり、その子を葦の船でお流しになりました。ところが、次に生まれたのも淡島《あわしま》で、泡のような未熟な島でした。

二柱の神はご相談なさい、共に高天原にお帰りになって、神々の指示をお求めになりました。神の命令に従って占うと、女神から先に声をかけたのが原因だったことが分かりました。

さっそく二柱の神は淤能碁呂島にお戻りになり、柱を回って、今度は伊耶那岐神から先に声をかけ、再び交わりました。そうすると、次々と立派な国が生まれました。いちばんはじめに生まれた島は、淡路島《あわじしま》（兵庫県）、続けて四国、隠岐《おき》諸島（島根県）、九州、壱岐島《いきのしま》（長崎県）、対馬《つしま》（長崎県）、佐渡島《さどがしま》（新潟県）、そして本州（特に畿内を中心とする地域）が生まれました。このように、八つの島が先に生まれたことで、我が国のことを**大八島国**《おおやしまのくに》というのです。

二柱の神は高天原にお帰りになるときに、さらに六つの小さい島をお生みになりました。これで「国生み」が終わり、日本の国土が完成したと伝えられています。

2 新石器時代と日本の縄文時代

㋑ 世界最古級の土器は日本の縄文土器

世界史においては、磨製石器と土器を使う時代を**新石器時代**といいます。日本では、素焼きの土器に縄の模様をあしらった**縄文土器**が作られるようになり、それをもって**縄文時代**の始まりと定義します。この時代の文化を**縄文文化**といいます。縄文時代は水田稲作が広まる紀元前十世紀ころまで続きます。縄文土器は黒褐色で、低温で焼き上げるため厚手でもろい特徴があります。

青森県の**大平山元Ⅰ遺跡**《おおだいやまもといち》（06）から出土した縄文土器は、日本最古の土器として知られています。付着していた炭化物などを試料に行った**放射性炭素年代測定法**（07）により、約一万七千年前のものであることが分かりました。この測定の結果、土器の出現がこれまで考えられていた時期より約四千年遡《さかのぼ》ったことになります。

しかも、この土器は今のところ世界最古級の土器です。この時期の日本列島にはすでに磨製石器が存在しているので、磨製石器と土器が揃《そろ》ったことで、日本は人類史上で最初期に新石器時代を迎えました。

㋺氷河期の終焉と縄文海進

今から約一万年前、氷河期が終わり、世界は温暖な時代へと移行しました。温暖化により、植物の成長が早くなり、人々は木の実などの食料を確保しやすくなりました。また、氷が解けて海面が上昇し、日本地域は大陸と分離されて再び日本列島が形成されました。気候の変化によって、日本列島は現在と同じような、四季のある温暖湿潤な気候になり、多種多様な植物が育つ環境になりました。また、海面が上昇したため、日本列島には多くの入江が形成されました。これを**縄文海進**《かいしん》といいます。入江には魚介類が棲《す》みつきやすく、しかもそれを獲りやすい地形ですから、**縄文人**は豊かな海の幸の恵みを受けるようになります。日本沿岸は暖流と寒流がぶつかるため、もともと豊かな漁場でしたが、縄文海進で森と海が接近して森の養分が直接海に流れ込むようになり、さらに豊かな漁場となったのです。

温暖な時代の到来により、特に日本列島は、植物資源だけでなく、海産物も豊富に獲れるようになり、世界でも有数の豊かな土地になりました。現在でも日本食の文化は魚を中心としていますが、その起源は縄文時代にあったのです。この時代になると、日本列島から大型動物は姿を消し、猪・鹿などの機敏な動きをする中小の動物が増え、それを捕らえるために**弓矢**が用いられるようになりました。縄文時代の日本列島は豊かな環境に恵まれていたため、農耕や牧畜はあまり発達しませんでした。北部九州で稲作が始まるのは、縄文時代の晩期を待たなくてはなりません。

縄文時代は約一万五千年間続きました。文化の芽生えを日本の歴史の始まりと考えるなら、日本の歴史の九割以上が先土器時代と縄文時代だったことになります。

(06) 青森県外ヶ浜町《そとがはま》にある大平山元I遺跡は、縄文時代草創期の遺跡です。平成十年(一九九八)の発掘調査で、世界最古級の土器が発見されました。すべて破片ですが、模様はなく、内側に焦げた炭化物が付いていたことから、煮炊きなどに使われていたことが分かっています。

(07) 放射性炭素年代測定法とは、年代を測定する方法の一つです。大気や海水にはわずかな量の「炭素14」という放射性同位体が含まれていて、生物の体内にも取り込まれます。大気中の炭素14の量はほぼ一定ですが、炭素14は五千七百三十年ごとに半減する性質を持っているので、動植物の遺物に含まれる炭素14を測定すれば、死んだ年代を特定することができます。

㈧ 縄文文化と縄文人の生活

土器が使われるようになると、煮る、蒸す、炊くといった調理法が加わっただけでなく、汁ものの調理が可能になり、木の実などのあく抜きもできるようになって、効率よく栄養を摂取できるようになりました。また、土器で飲食物を貯蔵することも可能になりました。酒を醸《かも》すようになったのもこのころです。

縄文人は、石器、弓矢、骨角器(08)などを使って狩猟、漁労、採集により食料を確保していました。また、計画的に稗《ひえ》、粟《あわ》、栗、ソバ、豆類など植物の栽培をしていたことも分かっています。また、食べ残しやゴミなどを捨てた跡は**貝塚**(09)と呼ばれ、そこからは貝殻や土器の破片、そして石器などが発見されています。

人々は地面に掘った穴に柱を立てて、草で屋根を葺《ふ》いた**竪穴式住居**《たてあな》に住み、集落を作って定住するようになりました。青森県の**三内丸山遺跡**《さんないまるやま》からは、大規模な集落の跡が発見されています(コラム02参照)。丸太をくり抜いた丸木船を使って、航海をしていたことも分かっています。

大自然のなかで、自然を正しく畏《おそ》れ、また正しく利用してきた縄文人は、あらゆるものに精霊が宿ると考えていました。女性をかたどったと思われる**土偶**《どぐう》は、子孫繁栄を願う祭祀《さいし》に用いられたものだと考えられています。大自然との調和を重んじた縄文人の自然観は、現在の日本人の価値観にも色濃く残っています。また、縄文人の風習の一つに**屈葬**《くっそう》（10）がありました。

特別大きい住居が見られないこと、共同墓地が営まれたこと、そして、副葬品がないことなどから、縄文時代には人々の間に貧富の差はなかったと考えられています。

日本列島に大規模な移住があったことは想定できないので、先土器時代人が縄文人の先祖で、また、骨格が現代日本人に似ていることから、縄文人は日本人の先祖と考えられています。

（08）骨角器とは、動物の骨格から作られた道具です。日本では、鹿、猪、イルカなどの骨から作った釣針や銛《もり》などが、縄文時代の貝塚などから発見されています。

（09）アメリカのモースが、明治十年（一八七七）に東京都の大森貝塚を発掘したのが日本の考古学の発祥とされています。このときに出土した土器に縄の模様が付いていたので縄文土器と命名されました。

（10）屈葬とは、手足を折り曲げて葬《ほうむ》ることです。死霊の活動を防ぐためとも、寒さに耐えるための姿勢ともいわれます。

㈡ 日本の文明と世界の文明

日本で出土した世界最古級の土器以外にも、同じような古い時期の土器として、ロシアと中国の例があります(11)。いずれにしても、東アジアに最古級の土器が集中しているといえます。ところが、南アジア、西アジア、アフリカ、ヨーロッパなどでは、日本に八千年ほど遅れて土器が作られるようになりました。少なくとも土器に関しては、日本を含む東アジアが、また磨製石器に関しては日本が極端に古いのです。

農耕を開始して、都市を形成し、文字を用いて、広範囲な貿易をしていることなどをもって**文明**の成立と考えられてきました。しかし、どの文明が世界の文明の祖であるかについては研究の途上にあり、まだ定説はありません(12)。日本列島では本格的な食料生産と都市形成の時期は遅れましたが、日本列島から最古級の土器と最古の磨製石器が発見されているのですから、日本は独自の文明の起源を持っていたことになります。これを**日本文明**といいます。

エジプト、**メソポタミア**、**インダス**、**黄河**《こうが》**長江**《ちようこう》、**メソアメリカ**、**アンデス**をはじめとする地域では、日本列島より早い段階で農耕と牧畜が始まりました。大河の周辺地域では**穀類**

中心、また山岳地帯のアンデスや、島嶼《とうしょ》のパプアニューギニアではジャガイモなどの**根菜類**中心の農耕が行われました。

人々は安定した食料を生産することができるようになると、定住して**都市**を形成し、神殿を建て、やがて**古代国家**を造りました。貧富の格差が広がり、支配する者と支配される者が現れ、国を統率する**王**が出現しました。祭りや戦いに使う**青銅器**(13)が作られ、また**文字**が使われるようになったのもこの時期です。そして、国家は盛衰を繰り返すようになります。

㋭ 天孫降臨

『古事記』は人や日本人の起源については記していませんが、**天皇**の祖先の起源については

(11) ロシアのグロマトゥーハ遺跡で発見された土器は約一万五千年前のものです。また、中国湖南省の洞窟で発見された土器が約一万八千年前との報告もあります。

(12) かつて、エジプト文明、メソポタミア文明、インダス文明、中国黄河文明を世界四大文明と呼んだ時期がありました。しかし、考古学の研究が進むと、同じ条件を満たす例が各地に発見され、四大文明が世界の文明の祖であるという考え方は、現在では完全に否定されています。

(13) 青銅は、銅と錫《なまり》を混ぜ合わせて作った硬い合金です。

記しています。国生み物語で日本列島を生んだ伊耶那岐神は、最後に身を清めてから左目を洗うと**天照大御神**《あまてらすおおみかみ》、右目を洗うと**月読命**《つくよみのみこと》、そして鼻を洗うと**須佐之男命**《すさのおのみこと》が現れました。いずれも尊い神なので、**三貴子**《さんきし》といいます。天照大御神は、父から高天原を知《し》らす（治める）ように命ぜられました。

一方、**葦原中国**《あしはらのなかつくに》（地上世界）では、須佐之男命の子孫にあたる**大国主神**《おおくにぬしのかみ》が国を造りましたが、話し合いの結果、葦原中国は天照大御神が知らすことになりました。話し合いで国が譲られたので、これを「**国譲り神話**」といいます（コラム03参照）。

そこで天照大御神は、自らの孫を葦原中国にお遣いになり、国を知らすように命ぜられました。この命により地上に降臨したのが、初代天皇の祖先にあたる**邇邇芸命**《ににぎのみこと》です。**天**《あま》**つ神**《かみ》（高天原の尊い神。ここでは天照大御神のこと）の孫が降臨したので「**天孫降臨**《てんそんこうりん》」といいます（コラム04参照）。

ところで、『日本書紀』もこれに近い神話を伝えていますが、天照大御神は「私が高天原に所有する**斎庭之穂**《ゆにわのいなほ》(14)を持たせなさい」と仰せになり、瓊瓊杵尊《ににぎのみこと》(15)に神聖な**稲穂**を持たせて降臨させたと書かれています。また、『**日向国風土記**《ひゅうがのくにふどき》』には、瓊瓊杵尊が持っていた稲穂の籾《もみ》を投げ散らしたときに、暗黒だった地上世界に明かりがもたらされたと書かれています。

天孫降臨神話は、天皇の祖先にあたる、天つ神の子孫が高天原から葦原中国に降臨したことを伝えるだけでなく、まもなく社会の基盤となる稲作の起源は、天皇の先祖からもたらされたことを伝えようとしています。皇室が稲作と深い関係があることが分かります。

ただし、記紀などの記述は、時期についてはまったく分かりません。しかし、稲作が始まる前の物語と考えてよさそうです。

㋬中国大陸の状況

中国大陸では、世界的にも特に早い時期に農耕が始まっています。最新の発掘調査によると、約一万二千年前に、長江（揚子江《ようすこう》）中流域で稲作を中心とした農耕が始まっていたことが確認されています。また、**水田**としては、長江下流域の六千年前の水田の跡が最も古く、長江流域が稲作の起源であると考えられています(16)。

(14) 斎庭之穂とは、高天原の清らかな田で育てた稲穂を意味します。

(15) 邇邇芸命のこと。『古事記』と『日本書紀』では異なった字を用いています。

(16) その他、最古級の農耕としては、シリアのテル・アブ・フレイラ遺跡に約一万一千年前のライムギの農耕の跡が、また、パプアニューギニアに約九千年前の芋類を作るための灌漑《かんがい》施設の跡が確認されています。

そして、紀元前一五〇〇年ころには殷《いん》の国が起こり、青銅器を祭器として用いた他、**漢字**の元になる**甲骨文字**《こうこつ》が使われるようになりました。そして、紀元前一一〇〇年ころには**周**《しゅう》が殷を滅ぼし、やがて周が衰退すると、紀元前八世紀ころには群雄割拠の**春秋戦国時代**に入りました。この時代に**鉄器**が作られるようになりました。

朝鮮半島では、日本より遅れて土器が作られるようになり、縄文人と同様に、狩猟と採集を中心とする生活を営んでいました。

コラム 02

縄文都市を彷彿とさせる「三内丸山遺跡」

三内丸山遺跡は、青森県青森市にある縄文時代の大規模集落跡です。平成四年(一九九二)に発掘が始まり、縄文人像が大きく変化することになりました。三内丸山の縄文人は、栗の木を計画的に植林し、下草を刈るなどして、念入りに管理していたことが分かっています。また、直径・深さ共に二メートルという六つの巨大な柱の跡が発見されたことから、かなり大規模な建物が存在し、高度な土木建築技術があったことを思わせます。

三内丸山遺跡は、縄文時代前期から中期にかけ、五千九百年前ころから四千三百年前ころまで、およそ千六百年間営まれました。江戸(東京)は徳川家康が城を築いてから約四百年、京都は桓武《かんむ》天皇が遷都してから約千二百年ですから、それと比べると、太古の昔に千六百年間集落が営まれたというのは、すごいことです。住居の跡は三〇〇〇棟以上になると推定されていることから、その規模も、これまでの縄文遺跡の常識を破るものでした。

遠方との交易も盛んだったようです。糸魚川《いといがわ》の翡翠《ひすい》、岩手の琥珀《こはく》、秋田のアスファルトなどが出土しています。また、遺跡には大規模な墓地が造営され、故人を丁重に葬る文化があったことが分かります。

三内丸山遺跡の発掘の結果、縄文人は採取経済を基礎とする社会としては、稀《まれ》に見る高度な社会を構築していたことが分かりました。

コラム 03 『古事記』の国譲り神話

大国主神の国造りにより、葦原中国には賑《にぎ》やかな国ができました。しかし、高天原の神々は、葦原中国は元来、**天照大御神**の御子《みこ》が知らす国であると決議し、どのように説得すべきかを議論しました。二人の使者を続けて送り込みましたが、うまくいきませんでした。そこで、神々は**建御雷《たけみかづち》之《の》男神《おのかみ》**を葦原中国に遣わせました。

二柱の神は出雲国の浜に降り立ち、建御雷之男神は十《と》掬剣《つかのつるぎ》を抜き、逆さまに波の先に刺し立て、その剣先にあぐらをして座りながら、大国主神に「我々は、天照大御神と**高御産巣日神**の命によって遣わされた。あなたがうしはける（領有する）葦原中国は、天照大御神の御子の知らす国である。汝《なんじ》の考えはいかがなものか」と尋ねました。

すると大国主神は「我が子の**八《や》重《え》言代《ことしろ》主《ぬし》神《のかみ》**が申し上げることでしょう」と答えました。

そこで八重言代主神を呼んできて問うたときに、八重言代主神は父の大国主神に「この国は、天つ神の御子に奉《たてまつ》りましょう」といいました。

建御雷之男神が「他に意見を申す子はいるか」と尋ねると、大国主神は「もう一人我が子、**建御名方神**《たけみなかたのかみ》がいます」と答えました。すると、建御名方神が一〇〇〇人がかりで引くほどの大きな岩を手の先で弄《もてあそ》びながらやってきました。建御名方神が「我が国にやってきて、こそこそと隠れて物言うのはいったい誰だ。ならば力比べをしてやろうじゃないか。私が先に手を取ってみせよう」といって、建御雷之男神の手を取ったとき、たちまち建御雷之男神の手は氷の柱に変化し、さらに剣となって建御名方神を襲おうとしたのです。これに驚いた建御名方神は怖れて退きました。

今度は建御雷之男神が建御名方神の手をつかみにかかります。建御雷之男神はまるで若い葦のように建御名方神の手を握り潰し、たちどころに遠くへ投げ飛ばしてしまいました。命の危険を感じた建御名方神は逃げました。すると、建御雷之男神がこれを追いかけていき、科野国《しなののくに》の州羽《すわ》の海（長野県の諏訪《すわ》湖）に追いつめると、建御名方神は「今後この地から他へは行かないことにします。この葦原中国は、天つ神の御子の命ずるまま献上いたします」といって頭を下げたのです。

建御雷之男神はまた出雲国に帰ってきて、大国主神に「二人の子は天つ神の御子の考えに背《そむ》かないといっていたが、あなたの心はいかに」と聞きました。大国主神は次のように答えました。「私も背くつもりはありません。この葦原中国は命令に従って差し上げることにいたしましょう。ただ、地盤に届くほどの宮柱を深く掘り立て、高天原に届くほどの千木《ちぎ》を高く立てた壮大な宮殿に私が住み、祀《まつ》られることをお許しください」。

このように申し上げると、大国主神は、出雲国《いずものくに》の海岸近くに立派な宮殿（出雲大社）をお造りになりました。

コラム 04 『古事記』の天孫降臨神話

天照大御神と高御産巣日神は皇太子の**天忍穂耳命**《あめのおしほみみのみこと》に「今、葦原中国を説得して平定したと報告があった。よって、命令するとおりに葦原中国に降って、国を知らせ」と仰せになりました。天忍穂耳命は「私が降る準備をしている間に、子供が生まれました。名は**邇邇芸命**といいます。この子を葦原中国に降すべきでしょう」と申し上げました。このようなことで、天照大御神と高御産巣日神は、邇邇芸命に「この豊葦原水穂国《とよあしはらのみずほのくに》（葦原中国）は汝が知らしなさい。よって、命令のとおりに天降りなさい」と命ぜられました。

瓊瓊芸命が高天原から葦原中国に天降りなさるにあたり、天照大御神は瓊瓊芸命に**八尺勾**《やさかのまが》**瓊**《たま》と**御鏡**《みかがみ》、そして**草薙剣**《くさなぎのつるぎ》を賜《たま》い、さらに多くの神々を同伴させ「瓊瓊芸命は、この鏡を、私の御魂《みたま》として、我が身を拝むように祀りなさい」と仰せになりました。

そして、瓊瓊芸命は、御鏡を五十鈴宮《いすずのみや》（伊勢の神宮の内宮《ないくう》、三重県伊勢市）に祀りました。次に、**豊宇気毘売神**《とようけびめのかみ》は、外宮《とつみや》の渡相《わたらい》（伊勢の神宮の外宮《げくう》、三重県伊勢市）に鎮座する神です。これが伊勢の神宮の起源です。

瓊瓊芸命は高天原をお発ちになり、天の八重にたなびく雲を押し分けて、道を掻き分けて、竺紫日向《つくしのひむか》（九州南部）の高千穂《たかちほ》のくじふる嶺《たけ》に天降りなさいました。そこで瓊瓊芸命は「この地はとても良い地だ」と仰せになって、地の底にある岩盤に届くほど深く穴を掘って、太い宮の柱を立て、高天原に届くほどの大きな御殿を建てさせ、そこにお住みになりました。

このようにして、天照大御神の孫が、葦原中国を治めるために高天原から降っていらっしゃいました。これが「天孫降臨」です。

3 戦乱の弥生時代

㋑ 稲作は中国大陸から伝わり、朝鮮半島に伝えた

稲作の開始をもって弥生時代の始まりと考えられていますが、近年の発掘調査により、その年代が大幅に遡ることになりました(17)。これまでは、**水田稲作**が始まったのは縄文時代晩期の紀元前五世紀ころとされてきましたが、福岡市の雀居《ささい》遺跡などの出土品を放射性炭素年代測定法で分析した結果、水田稲作は定説より五百年早い紀元前一〇〇〇年ころであることが分かりました。

従来まで、水田稲作は朝鮮半島経由で日本にもたらされたとされてきましたが、近年の研究により否定されることになりました。日本の稲作開始年代が遡ったことで、朝鮮半島の稲作よりも、日本の稲作の方がだいぶ古いことが分かったからです。しかも、朝鮮半島では水

田稲作は六世紀ころまでしか遡れず、遼東半島と朝鮮北部での水耕田跡は近代まで見つかっていません。このようなことから、水田稲作は、殷と周の政変で日本に亡命した人々が、中国大陸から直接日本に持ち込み、日本が朝鮮半島に伝えたことが判明しました。

それだけではありません。平成十七年（二〇〇五）、岡山県の彦崎《ひこざき》貝塚の約六千年前の地層から大量の稲の**プラントオパール**(18)が見つかって、縄文中期には**陸稲《おかぼ》栽培**をしていたことがほぼ確実となりました。日本の稲作の開始は、陸稲栽培が約六千年前、**水稲《すいとう》栽培**が約三千年前まで遡れることになります。

㋺ 弥生文化と弥生人の生活

北部九州で水田稲作が始まると、比較的短期間のうちに東北まで広がっていきました。そ

(17) 稲作の開始を弥生時代の始まりとする考え方と、弥生土器の出現を弥生時代の始まりとする考え方の両方があります。前者なら、弥生時代の始まりが遡り、後者なら、縄文時代に稲作が行われていたことになります。

(18) プラントオパールとは、イネ科の植物が枯れたときに土に残るガラス質の物質で、植物の種類によって形状が異なり、一万年以上経っても消滅することはありません。しかも、プラントオパールは、葉や茎がなければ発生しないため、一カ所から大量に発見されれば、そこに稲が生育していたと考えられます。

して、約二千三百年前になると、高温で焼き上げた赤褐色の薄手で固い**弥生土器**が用いられるようになり、稲作と一緒に全国に普及していきました。水田稲作が始まった紀元前十世紀から始まり、三世紀前期に巨大古墳が造営されはじめるまでの約千三百年間を**弥生時代**⑲といい、この時代の文化を**弥生文化**といいます。

福岡市の**板付遺跡**《いたづけいせき》からは水田の跡と縄文時代晩期の夜臼《ゆうす》式土器の両方が発見されたため、縄文文化と弥生文化には連続性があることが分かりました。この遺跡の田は、畦《あぜ》で区画されていて、灌漑用の水路も発見されています。また、木製の鍬《くわ》や鋤《すき》、そして稲穂を摘むための石包丁《いしぼうちょう》も見つかっています。

稲作は共同作業で行われるため、人々は水田の周辺に村を営んで集団で定住するようになり、また収穫した穀物を貯蔵するための**高床式倉庫**を作り、共同で管理するようになりました。農耕にかかわる祭りが行われるようになったのもこの時期です。食料が計画的に生産されるようになると、生活が安定し、人口が増えました。

集落どうしの交流も盛んになる一方、土地や水の権利をめぐって争いが起きるようになります。集落を守るために周囲に濠《ほり》や柵をめぐらせた**環濠集落**が作られるようになりました。佐賀県の**吉野ヶ里遺跡**《よしのがりいせき》はその代表格です（コラム05参照）。いくつもの集落がまとまって小さな国が形成されると、農作業や土器製作などの共同作業を指揮する者や、祭りを司《つかさど》る者が現れ、そのような者が国の指導者となり、やがて王と呼ばれるようになります。

もう一つの弥生時代の特徴に、金属器の使用が挙げられます。弥生時代の初期に青銅器と鉄器を同時期に使いはじめました。青銅器は主に祭器として、また鉄器は主に農具や武器として用いられました。

㈧中国大陸と朝鮮半島の状況

紀元前二二一年に、**秦《しん》**の**始皇帝**が中国大陸の統一を果たしました。秦の時代には**文字**と**貨幣**が統一され、北方民族の侵入を防ぐために**万里の長城**が築かれました。しかし、秦はわずか十五年で滅びました。次に中国を統一したのは**漢《かん》**です。途中で滅亡の危機を迎えるも復興を遂げ、全体では約四百年に及ぶ長期政権となりました。最初の政権を**前漢《ぜんかん》**、後を**後漢《ごかん》**といって区別しています。同時期に西洋で栄えたローマ帝国とは、**シルクロード**を通じて交易を

(19) 明治十七年(一八八四)の調査ではじめて弥生土器が出土した東京の本郷弥生町《ほんごうやよいちょう》遺跡にちなんで、この土器を弥生土器と名付け、その時代を弥生時代というようになりました。

するようになりました。

二二〇年に後漢が滅亡すると、魏《ぎ》、呉《ご》、蜀《しょく》の三国が覇権を争う**三国時代**に入りました。弥生時代には日本で文字は使われていませんでしたが、中国の歴史書には日本に関する記述があり、当時の日本の様子を知る手がかりになります。最も早い時代の記述は、前漢の**正史**[20]である『**漢書**《かんじょ》』**地理志**《ちりし》です。これによると、紀元前一世紀ころの日本は、一〇〇以上の小国が分立していて、中国に定期的に**朝貢**《ちょうこう》する国があったことが分かります[21]。

次に日本の記述が登場するのは、後漢の正史『**後漢書**《ごかんじょ》』**東夷伝**《とういでん》です。ここには、西暦五七年に**倭奴国王**《わのなこくおう》が漢に使いを送り、皇帝が金印を授けたと書かれています。「倭」とは日本のことです。「倭」と「奴」は見下した意味を持つ漢字で、中国は**中華思想**という、周辺の国を野蛮な国ととらえる思想を持っていました。この金印は、江戸時代になって福岡県の志賀《しか》島《しま》で発見されました。そこには「漢委奴国王《かんのわのなのこくおう》」と刻まれていました。ただし、奴国と、後に統一王権となる大和王朝との関係は何も分かっていません。

続けて東夷伝は、師升《ししょう》もしくは帥升《すいしょう》という王が、一〇七年に後漢の皇帝に奴隷を献上したこと、また、二世紀後半に倭国大乱が起きたことを伝えています。ちょうどこの時期に、西日本を中心に高地性集落が作られるようになりますので、この記述と一致します。

ところで、朝鮮半島では、考古学で確認できる最初の王朝である衛氏《えいし》朝鮮が成立したのは紀元前二世紀でしたが、百年足らずで漢に滅ぼされ、約四百年の間、朝鮮半島に漢四郡《かんのしぐん》が置かれます。やがて、紀元前後には朝鮮半島北部に**高句麗**《こうくり》が起こり、中国の支配を脅《おびや》かすものとして警戒されるようになりました。

㊁ 日向三代と神武天皇の東征伝説

『古事記』は天孫降臨に続き、邇邇芸命の子孫の物語について伝えています。邇邇芸命は山の神の娘と結婚して**火遠理命**《ほおりのみこと》を儲《もう》け、火遠理命は海の神の娘と結婚して**鵜葺草葺不合命**《うがやふきあえずのみこと》を儲けました。これにより、鵜葺草葺不合命は、天つ神だけでなく、山の神と海の神の系統を受け継ぐことになりました。このようにして、地上世界を統治する者としての正統な系統が整えられていったのです。邇邇芸命から鵜葺草葺不合命までを**日向三代**といいます。

(20) 正史とは、国家が編纂した正式な歴史書のことで、中国では王朝が滅亡すると、新しい王朝が前の王朝の正史を編纂する慣習がありました。

(21) 朝貢とは、中国の周辺の国や民族が、中国王朝に貢物《みつぎもの》を献上することです。朝貢する国が中国王朝に服従を誓い、その見返りとして、中国皇帝から「〇〇国王」というような称号を授かる外交の仕組みを冊封《さくほう》体制といいます。

邇邇芸命は、山の神の娘二人を娶《めと》りましたが、妹の木花之佐久夜毘売《このはなのさくやびめ》を側に置いて、姉の石長比売《いわながひめ》を実家に帰してしまったことで、日の御子は、永遠の命を意味する石の霊力に守られず、花のように栄えるも、その命は花のように儚《はかな》いものになってしまったのです。これは、神である邇邇芸命に寿命が与えられたことを意味します。それ以降、邇邇芸命の子孫はみな限りある命となりました。これが、天皇の先祖が神から人になった瞬間です。しかし、神から人になったとはいえ、神としての性格は保持したままと考えられています。

そして、鵜葺草葺不合命が儲けた子が神倭伊波礼毘古命《かむやまといわれびこのみこと》、まもなく初代の神武天皇《じんむ》に即位なさる方です。神倭伊波礼毘古命は兄の五瀬命《いつせのみこと》と相談して、南九州をお発ちになり、東征をなさいます。途中兄は戦死してしまいますが、高天原からの援助を受けながら、各地を平定して回り、橿原宮《かしはらのみや》にて初代天皇に御即位になりました。これが神武天皇東征伝説です（コラム06参照）。

コラム 05

環濠集落を代表する「吉野ヶ里遺跡」

佐賀県の吉野ヶ里遺跡は日本最大の環濠集落跡として知られています。実物を見た人は、この遺跡が防衛を考慮して作られた要塞都市であることが分かるはずです。外敵から守るために三重の濠をめぐらせているのが最大の特徴で、内濠の内側には楼観《ろうかん》（物見櫓《ものみやぐら》）があったと考えられています。外濠は全長二・五キロメートルに及び、広いところで幅約七メートル、深さ約四メートル、断面はV字型でいったん降りたら自力では登れない急斜面です。濠の内側が背の高い木製の柵で覆われていたなら、これを攻め落とすのは容易ではありません。

吉野ヶ里遺跡の周辺は、今も豊かな水田が広がっています。有明海から二〇キロメートルも離れた場所ですが、弥生時代にはすぐ南に大きな湾が迫り、有明海まで二キロメートルの距離で、海までは水路でつながっていました。しかも、有明海は巨大な内海で、船の安全な航行が可能です。この立地であれば、稲作をしながら海から豊かな海の幸を享受し、さらには日本列島の他の地域と交易することができたのでしょう。

吉野ヶ里は、縄文時代の集落とは明らかに様相が異なります。遺跡の内部には水田の跡がありません。濠の外に大規模な集落があり、さらには周辺の複数の集落を束ねる存在だったと思われます。ここに古代国家の原型を見出すことができます。

三重の濠に囲まれた吉野ヶ里の北内郭《きたないかく》には、大きな主祭殿と楼観があり、高床式住居には宗教的指導者が住み、そこが国の中心部だったと推定されています。また、南内郭《みなみないかく》には多くの竪穴式住居と楼観があり、権力者たる王やその一族が住んでいた場所と考えられています。

吉野ヶ里は防衛を目的とした環濠を持ち、傷ついた人骨や金属製の武器が出土したことから、弥生時代の北部九州が戦乱の時代だったことを物語っています。また、王族の墓とされる墳丘墓からは、銅剣やガラス管玉《くだたま》などの副葬品が見つかり、首長や宗教指導者が存在していたことが分かります。

コラム 06

神武天皇の東征伝説

神倭伊波礼毘古命と、兄の五瀬命は、高千穂宮《たかちほのみや》でご相談になり、弟の神倭伊波礼毘古命は「いったいどこに住めば、平和に天下を治めることができるのでしょうか。東に行ってみませんか」と申し上げると、日向（九州南部）をお発ちになり、筑紫《つくし》（九州北部）に出立なさいました。

そして一行は、豊国《とよのくに》（大分県）、筑紫国（福岡県）、阿岐国《あきのくに》（広島県）、吉備《きびの》国（岡山県と広島県東部）を経て、東にお進みになりました。そして、浪速《なみはや》の渡《わたり》（大阪湾の沿岸部）を経て船を進めると、**登美能那賀須泥毘古**《とみのながすねびこ》が軍を興して待ち構えていたので、戦いになりました。

このとき兄の五瀬命は、手に敵の矢を負ってしまいました。そこで五瀬命は「我々は日の神の御子なのに、日に向かって戦ったことが良くなかったのだ。これからは回り込んで、背に日を負って敵を討とう」と仰せになり、南の方より回り込むように軍を進めました。紀国《きのくに》（和歌山県）の男《お》の水門《みなと》にお着きになると、五瀬命はその傷がもとで死んでしまいました。

兄を亡くした神倭伊波礼毘古命は、それでもその地よりさらに回り込んでお進みになりました。一行が熊野村《くまののむら》（和歌山県新宮《しんぐう》市付近か）に着いたとき、その土地の神の毒気に侵《おか》され、神倭伊波礼毘古命は急に体調をお崩しになり、従う兵士たちもみな具合を悪くしてしまいました。ところが、高天原から霊剣が下されたことで、難局を乗り切りました。

高天原にいらっしゃる高御産巣日神は、荒ぶる神が多いので、御子のことをご心配になり、**八咫烏**《やたがらす》を遣わせ、神倭伊波礼毘古命を導かせました。神倭伊波礼毘古命は、八咫烏の後についてお進みになると、吉野河《よしのがわ》の下流にお着きになり、次々と土地の豪族たちが従うようになりました。なかには従わない豪族もいましたが、苦しみながらも戦いに連勝し、ついには登美能那賀須泥毘古をも従わせました。これで、神倭伊波礼毘古命は長い東征を終え、橿原宮にて初代の天皇に即位なさいました。天皇の誕生です。神倭伊波礼毘古命は後に「神武天皇」と呼ばれるようになります。

ところで、『日本書紀』は神武天皇の御即位を、紀元前六六〇年元旦と伝えています。これを根拠に、我が国は、太陰暦を太陽暦に換算した二月十一日を「**建国記念の日**」として、毎年建国を祝っています。

4 古代王朝の誕生と古墳時代の幕開け

㋑ 前方後円墳の出現

三世紀前期に、奈良県の**纏向遺跡**《まきむく》周辺に、九〇メートル級の巨大な**前方後円墳**《ぜんぽうこうえんふん》が五基造られました。しかも、三世紀中ごろには、二九〇メートルという、さらに巨大な**箸墓古墳**《はしはか》が造営されました（コラム07参照）。これが**古墳時代**の幕開けです。これほど大きな古墳が造られるということは、一定の規模の国を治める**大王**《だいおう》が存在していたことを示しています。

大和《やまと》（奈良県）と河内《かわち》（大阪府）を中心とする近畿地方に特に巨大な古墳が集中して造られるようになったのは、大王のもとに、地域の豪族が束ねられ、連合して強大な勢力を持つようになったためでした。大王は後に**天皇**と呼ばれるようになります。この時代の前方後円墳に埋葬された大王の男系の子孫が、現在の天皇と皇族です。

このときに成立した王権を**ヤマト王権**といいます。これは、まもなく統一王権となる**大和朝廷**の前身となる王権です。

大和朝廷は現在の日本国と連続する国ですから、日本国の起源は、考古学では遅くとも三世紀前期まで遡ることができることになります。今から約千八百年前のことです(22)。

前方後円墳は、上から見ると鍵穴のような形をした特徴的な古墳で、まもなく百年ほどの間に、大和朝廷の統治領域の拡大に従って、東北南部から南九州にかけた日本列島の広い範囲で、夥《おびただ》しい数の同じ形の古墳が造られることになります。また、各地の古墳から同じ鋳《い》型《がた》から作られた**三角縁神獣鏡**《さんかくぶちしんじゅうきょう》が出土していて、政治的なつながりがあったことが分かります。日本列島の豪族たちは、大和朝廷の大王とつながりを持つことで、前方後円墳の造営を許され、序列化されることになりました。

古墳の多くは、表面に石が敷きつめられ、円筒形や、人や馬などをかたどった**埴輪**《はにわ》が置かれました。早い時期の古墳には、副葬品として銅鏡、勾玉《まがたま》、銅剣などが、また遅い時期の古墳には馬具、鉄製の武器や農具などが収められました。巨大古墳が造られはじめた三世紀前半から六世紀ころまでの約四百年を古墳時代といい、この時代の文化を**古墳文化**といいます。

㋺『魏志』倭人伝が伝える三世紀の日本

近畿地方に巨大前方後円墳が造られはじめた三世紀、中国の史料に日本の記述があります。『魏志《ぎし》』倭人伝《わじんでん》です。これには、邪馬台国《やまたいこく》の女王卑弥呼《ひみこ》が魏の都に使いをやって朝貢し、これに対して皇帝は「親魏倭王《しんぎわおう》」の称号を与え、銅鏡一〇〇枚を与えたと記述されています。また、邪馬台国は三十余りの小国を従えていて、身分の差もあったといいます。

しかし、倭人伝の記事は不正確な点も多く、たとえば邪馬台国までの道のりを記事のとおりに再現すると、海の上に着いてしまうため、その所在地をめぐり九州説と畿内説が対立し、現在も論争が続いています。また、邪馬台国と卑弥呼は、日本側の史料には一切確認できません。しかも、中国側の史料でも倭人伝にしか現れません。大和朝廷との関係はまったく不明であり、中国側の史料にこのような記述があったということを確認しておけばよいでしょう。

(22) 王権が成立した途端に巨大古墳を造営することはできませんから、初代天皇の時代はここからさらに数百年遡ると考えてよいでしょう。日本国の歴史は二千年以上ととらえることができます。

㈧ 謎の四世紀

四世紀は大和朝廷がその勢力範囲を拡大させ、日本列島の大半を治める統一王権に発展した世紀です。前方後円墳の広がり具合からそのことが分かります。しかし、この時代はまだ日本では文字が使われていないので、詳細は分からないことが多いのです。

しかも、四世紀の中国大陸は、国内が分裂状態にあり、中国の史料に日本の記述は見えません。一方、朝鮮半島では北部の高句麗が勢力を強め、南部では**百済**《くだら》と**新羅**《しらぎ》が成立して、**三国時代**を迎えました。

高句麗の**好太王碑文**《こうたいおうひぶん》に日本のことを記した文字があります。これによると、四世紀末から五世紀初頭にかけて、日本が朝鮮半島に軍を派遣し、高句麗と戦ったことが分かります(23)。これは高句麗側の史料ですから、戦った相手を誇張して書いている可能性があります。しかし、大和朝廷は鉄資源を得るために朝鮮半島と交流を深めていましたから、半島に出兵して百済を助けて高句麗と戦い、そして負けたことは史実だと考えられます。

また『日本書紀』にも、**神功皇后**《じんぐう》が朝鮮半島に出兵したとの記事があります。海の向こう側に大軍を差し向け、当時の覇権国である高句麗と戦ったのですから、大和朝廷も統一王権としての国家基盤をすでに整えていたと思われます。この戦争は大和朝廷側が負けたようですが、日本の参戦により、高句麗の朝鮮半島統一を阻止し、百済を存続させたことは確かです。

この時期から五六二年に新羅に滅ぼされるまでの間、大和朝廷は朝鮮半島南部の**任那**《みまな》（**加**《か》**羅**《ら》）に拠点を持っていたと考えられます。平成三年（一九九一）には朝鮮半島南西部を流れる栄山江《ヨンサンガン》流域に前方後円墳が発見され、これまでに一三基が確認されました(24)。日本列島以外で前方後円墳が発見されたのはこれがはじめてです。大和朝廷がこの地域と密接な関係を持っていたことが想定されます。

(23) 好太王碑文には、日本は三九一年に朝鮮半島に出兵して百済と新羅を従え、三九九年に日本と百済が強固な同盟を結び、四〇〇年には高句麗が新羅を助けて日本軍を追撃し、四〇四年には高句麗軍が再び日本の水軍を撃退し、四〇七年にはまたしても日本の軍を斬殺して甲冑《かっちゅう》一万余を獲得したと書かれています。

(24) 五世紀後半から六世紀前半に造られた前方後円墳で、小さくても三〇メートル、最大のものは七〇メートルを超える規模になります。百済王の墓よりも大きいため、いったい誰が埋葬されているのか、韓国でも話題を呼んでいます。詳細はいまだ不明で学説は多岐に分かれますが、好太王碑文が記すように、半島南部に大和朝廷の支配が及んでいた可能性が強く指摘されています。

㈡ 記紀が伝える日本統一

大和朝廷が統一王権に成長した当時、国内ではまだ文字を用いていなかったため、国内の文字史料はありません。しかし、七世紀に編纂された記紀（完成は八世紀）には王権の勢力が拡大したことについて記述があります。

『日本書紀』は、神武天皇御即位の後、第二代**綏靖天皇**《すいぜい》から第九代**開化天皇**《かいか》までの間に列島内の同盟政策が進められたこと、第十代**崇神天皇**《すじん》が北陸、東海、西道、丹波の四方面に**四道将軍**を派遣したこと、そして、第十二代**景行天皇**《けいこう》の九州遠征と、その息子である**日本武尊**《やまとたけるのみこと》（『古事記』では倭建命《やまとたけるのみこと》）が西征して熊襲《くまそ》を征討し、続けて東征して東国の反乱を鎮《しず》めたことを伝えています（コラム08参照）。これらには神話的要素の強い逸話もありますが、この時期に王権が拡大したことは史実ですから、史実を反映した物語であると考えられます。

第二代から第九代までは事績が伝わっていないことから、実在性が低いとされることがありますが、かなり詳しい系譜が書かれていて、各地の豪族と婚姻関係を結ぶことで、同盟政策を進めていったことが読み取れます。これらがすべて嘘とは考えられません。むしろ、戦いを経ずに、話し合いで国が統合されていく姿を浮き彫りにしているといえます。

確かに前方後円墳が造られるようになってから、大規模な戦争を示す証拠は発掘されていません。環濠集落も姿を消していきます。古墳時代は弥生時代と違って、平和な時代でした。日本は平和な時代に統一王権が成立したのです(25)。

(25) なかには服従せずに反乱を起こす勢力があったのかもしれません。ところが、大規模な戦争の跡が発見されていないことから、その多くは『古事記』の国譲り神話に見えるように、話し合いで決着がついたものと思われます。

コラム 07

初期の前方後円墳が密集する「纏向遺跡」

纏向遺跡は奈良県の三輪山《みわやま》の麓《ふもと》に位置します。『日本書紀』は第十代崇神天皇の宮は「磯城瑞籬宮《しきのみずかきのみや》」、第十一代**垂仁天皇**《すいにん》の宮は「纏向珠城宮《まきむくのたまきのみや》」、第十二代景行天皇の宮は「纏向日代宮《ひしろのみや》」と記述しています。いずれも、三輪山の麓に位置します。

纏向遺跡は列島で最初に誕生した王権の王都です。この王権をヤマト王権といいます。この遺跡は計画的に造営されていて、その規模は三平方キロメートルと大きく、都市機能を備えていたと考えられています。纏向遺跡へ持ち込まれた土器の比率が高く、またその産地は南関東から北部九州の広い範囲に及び、列島最大の市場機能を持っていました。しかも、都市のなかで鉄器生産も行われていたようです。

纏向遺跡の最大の歴史的意義は最古の前方後円墳群があることです。これはヤマト王権の王の墓であり、この後、わずか百年程度の間に、日本列島の広い範囲に無数の同じ形の古墳が造営されることになります。前方後円墳を造ることで、中央政府との関係を確認して世に示す政治的意図があったと考えられます。前方後円墳が全国に広がっていくのは、ヤマト王権の勢力が全国に拡大することを意味しています。日本中に造られた前方後円墳の数々は、四世紀までに統一王権が成立したことを物語っています。

纏向遺跡はまだ発掘の途中です。平成二十一年（二〇〇九）秋、纏向遺跡の発掘調査で、東西主軸線を合わせた大型建物を含む四棟の掘立柱建物群が発見され、話題になりました。全体で一万五〇〇〇平方メートルに及ぶ巨大施設があったことが分かり、これは王の居館と考えられています。これからも新たな発見があるかもしれません。

コラム 08 『古事記』の倭建命の遠征物語

倭建命は少年ながらに猛々《たけだけ》しく荒い性格でした。そのため、父の景行天皇は倭建命のことを恐れ、遠くへ左遷しようとなさいました。天皇はその口実として、西の方にいる**熊曾**《くまそ》**建**《たける》を討つように命ぜられました。何も知らない倭建命は、叔母の**倭**《やまと》**比売命**《ひめのみこと》から衣装を賜わり、剣を懐《ふところ》に収めて、勇んで出発しました。

熊曾建の家に着くと、ちょうどそのころ、宴《うたげ》の準備をしていました。宴の日、倭建命は若い女性のように結んだ髪を垂らし、すっかり女装して、その家に入り込みました。熊曾建兄弟二人は、倭建命を女だと思い込み、すっかり気に入ってしまい、二人の間に座らせて宴を楽しみました。そして、宴もたけなわになったころ、倭建命は懐から剣を取り出して、熊曾建兄弟を刺し殺しました。

こうして途中、出雲国で出雲建《いずもたける》を討伐し、山の神、河の神、また海峡の神をみな説得して平らげながら大和の地に帰り、天皇《すめらみこと》に復命しました。すると、父の景行天皇は、今度は「東の方の国々の荒ぶる神と従わない者どもを説得して平定せよ」と命ぜられました。

倭建命は途中、伊勢の神宮に参り、その地にいた叔母の倭比売命に次のように申し上げました。「天皇は、ほんとうは私が死んだらよいと思っておいでなのではないでしょうか。なぜ西の方を平定して、帰ってきてすぐに、軍勢も与えられないまま、今度は東方の平定のために遣わされるのでしょう」。

このように申し上げ、悲しみ泣いてご出発になるとき、倭比売命は草薙剣を賜いました。そして倭建命は東国《あずまのくに》への遠征を始めます。倭建命は、山河の荒ぶる神、そして従わない者たちを悉く《ことごとく》説得して平定しました。

それから浦賀水道を渡ろうとすると、その海峡の神が波を起こして、船を翻弄《ほんろう》して、渡ることができませんでした。そこで、倭建命の后の**弟橘比売命**《おとたちばなひめのみこと》が海に身を投げると、荒波は自然と収まり、船を進めることができたのです。

倭建命は、ようやく東の蝦夷《えみし》たちをみな説得し平定し終えると、大和への帰途に就きました。途中、尾張国《おわりのくに》（愛知県）では**美夜受比売**《みやずひめ》と結婚しました。

倭建命は持っていた草薙剣を美夜受比売のもとに置いて、伊吹《いぶき》（滋賀県と岐阜県の境）の山の神を討ちに出かけました。倭建命はこの山の神と素手で戦おうとしたのです。山の麓で白い猪と遭遇したとき「これはその神の使いだろう」と油断しました。すると、激しい雹《ひょう》が降ってきて、倭建命を打って気を失わせました。猪に化けていたのは、その神自身だったのです。これにより倭建命はすっかり体調を崩し、まもなく命を失うことになります。

その地を出発し能煩野《のぼの》（三重県鈴鹿《すずか》市）に至ると、倭建命は国を偲《しの》んで次の和歌を詠《よ》み、息を引き取りました。

「倭《やまと》は 国《くに》のまほろば たたなづく 青垣《あをがき》 山隠《やまごも》れる 倭しうるはし」

（大和は国のなかでも最も優れた国である。畳《たた》み重ねたようにくっついた、国の周囲を廻《まわ》る、青々とした垣のような山々の内に籠《こも》っている。大和は美しい）

5 独立国への苦難の道

イ 世界最大の墓は仁徳天皇陵

五世紀になると、前方後円墳が最も巨大化し、その築造地も大和から河内に移動します。その最たるものが**仁徳《にんとく》天皇陵古墳**（大仙陵《だいせんりよう》古墳）です（コラム09参照）。全長は四八六メートルに及び、日本最大の古墳であるのみならず、墓としては世界最大の規模を誇ります(26)。二二九メートルのクフ王のピラミッドと比較すると、その大きさが分かります。中国大陸と朝鮮半島にもこれほど大きい墓は存在しません。

ところが、六世紀から七世紀にかけては、古墳が小型化していき、家族などを後から追葬できる群衆墳という新しい形の古墳が造られるようになりました。そして七世紀に入ると、古墳は衰退し、ほとんど造られなくなっていきます。

その理由の一つは、六四六年に**大化の薄葬令**《はくそうれい》が出され、豪族たちの巨大古墳造営が厳しく制限されたからです。これは、天皇を軸とする**中央集権国家**を造るにあたり、天皇と豪族の区別をはっきりさせる必要があったためです。また、この後記すように、日本に仏教が伝わった結果、豪族たちは古墳よりも**氏寺**《うじでら》(27)を建てるようになったことも関係しています。

大化の薄葬令が出された後も、天皇や皇族の古墳は造られました。ただし、これまでの前方後円墳ではなく、形も方墳に変化し、墳丘の大きさも一辺五〇メートル程度の小さなものになります。隋と唐の皇帝陵が方墳だったことが影響していると思われます。

そして、七世紀中ごろからは正八角形の**八角墳**や、壁画が描かれた**壁画古墳**といった別の形式に変化していきます。特に八角墳は天皇固有の古墳と考えられています(28)。京都市の天智《てんじ》天皇陵(御廟野《ごびょうの》古墳)や奈良県明日香村の天武・持統《じとう》天皇合葬陵(野口王墓《のぐちおうのはか》古墳)などが有名です。畿内の壁画古墳には、明日香村の高松塚古墳とキトラ古墳があります。

(26) 仁徳天皇陵には、高さ一メートルほどの大型の円筒埴輪が六万本並べられていました。
(27) 氏寺とは、氏族が自ら建立して一門の帰依《きえ》を受けた仏教の寺院。蘇我《そが》氏の飛鳥寺《あすかでら》、秦《はた》氏の広隆寺《こうりゅうじ》、藤原氏の興福寺《こうふくじ》などがあります。
(28) 八角形には、中国の道教思想の影響があると考えられています。天皇の即位礼で用いられる玉座の高御座《たかみくら》も八角形です。

現代においても、天皇は古墳に埋葬されています。明治天皇陵は京都市、大正天皇陵と昭和天皇陵は東京都にあり、いずれも**上円下方墳**です。

㋺中国南朝への朝貢

大和朝廷の大王は、日本の王としての地位を確立させ、高句麗に対抗して朝鮮半島南部にある任那（加羅）の軍事指揮権を確実なものにするために、中国の宋（南朝）にたびたび使いをやりました。

五世紀の中国は、漢民族の南朝と、遊牧民の北朝に分かれて覇権を争う**南北朝時代**にありました。宋の正史**『宋書』倭国伝**には、倭国が一〇回使者を送ってきたこと、大和朝廷の支配領域が拡大していくことが書かれています。宋への最初の朝貢の記録は四二一年です。中国の正史に日本の記述が現れるのは、二六六年に邪馬台国が西晋に朝貢した記録から、実に約百五十年ぶりのことでした。

『宋書』は以降、讃、珍、済、興、武の五人の倭国王が朝貢したことを記しています。五世紀はすでに大和朝廷が日本を統一していますので、『宋書』のいう倭国王は、大和朝廷の大王に違いありません。これは、宋の冊封体制のなかで、大和朝廷の大王は中国風の名前を名乗ることが求められた結果だと考えられます。諸説ありますが、有力な説によると、讃が第十七代**履中《りちゅう》天皇**、珍が第十八代**反正《はんぜい》天皇**、済が第十九代**允恭《いんぎょう》天皇**、興が第二十代**安康《あんこう》天皇**、武が第二十一代**雄略《ゆうりゃく》天皇**とされています。

また『宋書』の記述から、倭国王の姓は「倭」だったことが分かっています。『宋書』が伝えるところによると、倭の王は、朝貢するたびに宋の皇帝に官位を要求しました(29)。

㈧ワカタケル大王と雄略天皇

以降、日本は朝貢しなくなり、中国から官位や爵位を求めることもなくなりました。五十七年間続いた中国への朝貢はここで中断することになりました。日本はそれから一世紀以上の間、外交上、中国を完全に無視するのです。宋が滅びて戦乱の世の中に入ったことも一つの理由ですが、それだけではなかったようです。倭王武は、一度は中国の冊封体制の秩序のなかで確固たる地位を手に入れましたが、その後、中国の冊封体制から独立する強い意志を

(29) 最初は要求するとおりの官位を受けることはできませんでしたが、四七八年に倭王武が使いをやったとき、「倭国王」だけではなく、はじめて朝鮮半島南部の軍政権が認められ、しかも念願の「安東《あんとう》大将軍」が認められたのです。これこそが朝貢の目的でした。しかし、その翌年に宋が滅亡してしまいます。

持つようになりました。

『宋書』が記す「倭王武」は、雄略天皇のことで間違いないと考えられています。雄略天皇が独立の意志を持っていたことは、二つの文字史料から確認することができます。埼玉県行田《ぎょうだ》市の**稲荷山《いなりやま》古墳出土鉄剣銘《てつけんめい》**と、熊本県和水町《なごみまち》の**江田船山《えだふなやま》古墳出土鉄刀銘《てつとうめい》**です。いずれも五世紀末のものとされています(30)。

この同時代の鉄剣と鉄刀に刻まれた文字は、日本列島で記録された最初期の文字です。そこには「**獲加多支鹵《わかたける》大王**」という同じ大王の名前が刻まれていました。ワカタケル大王とは、雄略天皇のことです。大和朝廷は四世紀には統一王権に成長していましたが、これらの文字史料からもそれを再確認することができます。これらの鉄剣と鉄刀は、中央で作られ、地方の豪族に下賜《かし》されたものと思われます。

そこで注目すべきは、この両方の銘に「治天下」(天下を治める)という文字があり、しかも、その主体は明らかに中国皇帝ではなく、ワカタケル大王なのです。中国の冊封体制から独立した、日本独自の天下がそこに語られています。一世紀以上後の推古《すいこ》天皇の時代に、対等外交を目指した遣隋使が派遣されますが、その起点は独自の天下を創り出そうとして中国との一切の関係を断ち切った、雄略天皇の国家戦略にあったと考えられます。

㈡ 古墳時代の人々の生活

四世紀から六世紀にかけて、大勢の渡来人が日本にやってきて、技術や文化が日本に伝わりました。特に五世紀から六世紀の間は、大和朝廷が朝鮮半島と積極的にかかわったため、中国大陸の最先端の技術と文化が半島経由で日本にもたらされました。この時期に**養蚕**《ようさん》、**機織**《はたおり》、**鍛冶**《かじ》、**土木建築**などの技術をはじめ、『**論語**』や『**千字文**《せんじもん》』などと共に**儒学**と**漢字文化**が伝わりました。

古墳時代の土器は、大きく二種類に分けられます。一つは弥生土器の流れを受け継いだ**土師器**《はじき》、もう一つは、五世紀に朝鮮半島から伝えられた**須恵器**《すえき》です。須恵器は轆轤《ろくろ》を回して形成し、登り窯《のぼりがま》で焼き上げます。高温で焼くため、弥生土器より質の硬い灰色の土器です。

古墳時代には鉄製の農具が普及し、水田耕作がより盛んになりました。そして、農業にかかわる祭祀が盛んに行われるようになり、春には豊作を祈願する**祈年祭**《きねんさい》、そして秋には収穫

(30) 稲荷山古墳は考古学では六世紀前半とされています。また、鉄剣銘には「辛亥《しんがい》」の文字があり、これは四七一年のことと見られています。『日本書紀』が記す雄略天皇の在位は四五六～四七九年ですから、これと完全に一致します。『日本書紀』の紀年と一致するのは、雄略天皇が歴代天皇のなかで最初になります。

を神々に感謝する**新嘗祭**《にいなめさい》が行われるようになりました。

現在でも全国の神社でこれらの祭りが行われています。そして、毎年、宮中では二月十七日に祈年祭、十一月二十三日に新嘗祭が行われ、天皇陛下が祈りを捧げていらっしゃいます。また、御即位の後の最初の新嘗祭は**大嘗祭**《だいじょうさい》と呼ばれていて、天皇の即位儀礼のなかでは特に重要な意味のある祭祀とされています。このことからも、天皇の存在が稲作と密接な関係にあることが分かります。

そして、忘れてはいけないのは、六世紀に百済から仏教が伝わったことです。百済の**聖明**《せいめい》**王**《おう》が第二十九代**欽明**《きんめい》**天皇**に仏像と経典を贈ったのが**仏教公伝**とされています。

コラム 09

「聖帝」として歴代天皇が模範とした仁徳天皇

第十六代仁徳天皇治世では、大阪平野の開発が進められ、治水工事が行われました。これは日本史上最初の大規模工事とされています。これにより、農業生産量が格段に高まりました。現在、淀川《よどがわ》下流の両岸には堤防がありますが、これはこの時代に整備が始まったものです。

日本の歴史上、仁徳天皇は「聖帝《ひじりのみかど》」と称えられてきました。それは、具体的な事績もさることながら、民を思う気持ちの強さに見出すことができます。民に苦労をかけないために、仁徳天皇の宮殿は質素で飾り気もなく、屋根を葺いた茅《かや》を切り揃えることもしなかったそうです。

『日本書紀』には次のような逸話が収録されています。治世四年の春、仁徳天皇が高台に上り遠くを眺めたときに、人家から煙が立っていないことに気付かれます。民が貧しいから竈《かまど》の煙も立ち昇らないのではないかと心配された天皇は「五穀が実らず、民は困窮《こんきゅう》しているのだろう。都ですらこの様子であるから、地方はもっと困窮しているに違いない」と嘆き、「今から三年、すべての課税と役務《えきむ》をやめて、民の苦しみを和らげよ」と詔《みことのり》をお発しになりました。

その日以来、宮中では、すべてが徹底的に倹約《けんやく》されることになりました。衣服と靴は擦《す》り切れて破れるまで新調せず、食べ物は腐るまで捨てず、宮殿の垣が破れても造らず、屋根の茅が外れても葺き替えず、雨のたびに雨漏りして衣を濡らし、また部屋から星が見えるほどの有様だったそうです。

ところが、三年の後には民の生活は豊かになりました。天皇が高台に上られると、しきりに炊煙が立ち昇っているのが見えたのです。このとき、天皇は皇后に次のように語られたといいます。

「天が君主を立てるのは、民のためであり、君にとって民は根本である。だから、民が一人でも餓《う》えるのならば、君は自らを責めなくてはならない」

そのころ、諸国の民が、自分たちは豊かになったので、税を納めて宮殿を直さなくては天罰が当たるといって、税を納めようとしましたが、天皇はこれを許しませんでした。それからさらに三年が経過した治世十年の秋、天皇はようやく課役《かえき》を命ぜられました。すると、民たちは誰から促されることもなく、昼夜問わずに力を出し合い、あっという間に新しい宮殿を建てたのでした。

以来、仁徳天皇は「聖帝」と称えられ、歴代天皇が規範にすべき天皇像とされてきました。そしてその聖徳は、千七百年経った現在の皇室に受け継がれています。

6 律令国家の成立

⑴ 古墳時代から飛鳥時代へ

六世紀末から七世紀末までの百年間を**飛鳥時代**《あすか》といいます。都が飛鳥の地に置かれていたことから、そのように呼ばれています。この時代は、統一王権に成長した大和朝廷が、覇権国である中国の秩序から飛び出して、自らの秩序を作ろうとしていた時代です。**中央集権**を実現させ、**律令国家**としての基盤を整えることを目指しました。

七世紀の東アジアは大変革の時代だったため、日本が一刻も早く強靱《きょうじん》な国家体制を作り上げなくては、外国の勢力に滅ぼされてしまう可能性がありました。もし戦争に敗れて大和朝廷が滅びたら、日本民族はみな奴隷化されることも心配されていました。

確かに七世紀は、中国大陸では**隋**《ずい》が滅んで大帝国の**唐**《とう》が樹立され、朝鮮半島では六六〇年に百済が滅亡し、六六八年には高句麗までもが滅亡した動乱の世紀です。この厳しい時代のなかで、大和朝廷内部の豪族による腐敗した政治を払拭《ふっしょく》し、優秀な人材を登用して国力を高め、短期間の間に強い国を造り上げなくてはならなかったのです。

㋺ 聖徳太子の新政

中国から倭王武と呼ばれた雄略天皇が、中国への朝貢を中止してから一世紀以上の月日が流れました。宋が滅亡してからしばらく戦乱期にありましたが、隋が約三百年ぶりに中国統一を果たしたのが五八九年のことです。強大な軍事力により中国統一を成し遂げた隋の成立に応じて、朝鮮半島の高句麗、新羅、百済はさっそく隋に朝貢しました。しかし、日本は隋に使節を送ることなく放置しました。

隋が成立してまもなく、初の女性天皇となる第三十三代**推古天皇**が即位し、推古天皇即位元年（五九三）に皇族の**聖徳太子**《しょうとくたいし》（厩戸皇子《うまやどのおうじ》）が**皇太子**となり、天皇に代わって政治を行う**摂政**《せっしょう》に就任しました(31)。

聖徳太子は、ようやく六〇〇年になって、隋に第一次**遣隋使**を派遣しました。隋の中国統一から十一年が経っていました。日本が使節を中国へ送ったのは実に百二十二年ぶりのことです。朝鮮半島での影響力を保つことと、先進文化の摂取が目的でした。

ただし、第一回遣隋使については『日本書紀』には記述がなく、隋の正史『**隋書**』**倭国伝**に記載があるのみです。これによると、日本の使節が国の政治のあり方を隋の文帝に説明したときに「これははなはだ義理なし」と、改めるように命じられたというのです。このとき、日本は隋の大帝国としての強さと、最先進国としての文化水準の高さを思い知らされました。

そこで聖徳太子は、日本が国家として存続するために、隋から先端の文化と制度を採り入れ、隋の冊封体制に組み込まれず対等な地位を築く方針を固めました。そのために必要なことは中央集権国家を造ることでした。聖徳太子は、まず国内の改革に取り組みます。

聖徳太子は、六〇三年に**冠位十二階**を定めました。これは、役人の位を一二段階に分け、冠の色で識別できるようにし、さらに従来の出生により職業が決められていた制度を改め、優れた人材を役人に登用できるようにしたものです。そして六〇四年には、役人の心構えと理想の国家像が示された**十七条の憲法**を定めました。これまで日本人が大切にしてきた和の精神の重要性が第一に書かれています。

㈧ 中国との対等外交を目指した遣隋使

第二次遣隋使として小野妹子《おののいもこ》が派遣されたのは六〇七年のことでした。第二次は『日本書紀』『隋書』共に記載があります。推古天皇が隋の煬帝《ようだい》に宛てた国書には「日出づる処の天子、書を日没する処の天子に致す……」と書かれていました。これを見た煬帝は激怒し、外交担当官に、今後無礼な書は取り次ぐなと命じました。皇帝が怒った理由は、中国の皇帝のみが使用する「天子」の称号を日本が使用し、日本が中国と対等であるかのような書きぶりだったからです。

しかし、それにもかかわらず、隋は日本を攻めませんでした。なぜなら、隋は高句麗と戦争中だったからです。もし日本を敵に回すと、日本が高句麗の味方をすることを恐れたからだと思われます。もちろん聖徳太子はそのことを計算していたでしょう。

問題なのは六〇八年の第三次遣隋使です。前回皇帝の怒りを買ったため、再び「天子」を用いると外交が断裂する恐れもありました。かといって、従来の倭国王の称号を認めてもらい、百年以上前の状況に戻ることはできません。

---

(31)『日本書紀』によると、聖徳太子は、一度に一〇人の請願者のいうことを漏らさず理解し、的確な答えを返したと伝えられています。これは、同時に言葉を聞き分けたことよりも、多くの人がいうことをそれぞれ聞き分けて的確に対応したという、政治家としての器の大きさを示す言い伝えだと思われます。

そこで考え出されたのが「天皇」という称号でした。このときの国書には「東の天皇、敬《つつし》みて西の皇帝に白《もう》す」という文面が用いられました。同じ称号を避けて皇帝への最低限の配慮を示したことで、冊封体制からの独立を黙認させることに成功しました。これが天皇号の始まりと考えられています(32)。

このときの「朝貢すれども、冊封は受けず」は先例となり、慣習として定着していきます。六一八年に隋が滅亡するまで、遣隋使は第五次を数え、その間に日本は先端文化を貪欲《どんよく》に摂取していきました。日本が中国の冊封体制に入らなかったことは、その後の日本の行く末にとって、大きな意義があります。

隋が滅亡し、唐が中国を統一すると、外交はまた振り出しに戻ります。六二四年に、朝鮮三国は揃って冊封を受けましたが、日本が使節を送ったのは六三〇年になってからです。唐の正史『旧唐書《くとうじょ》』には、皇帝が、道のりが遠いので毎年朝貢しなくてもよいと述べたこと、そして、遣唐使が唐の皇子と恐らく席次を争って問題となり、皇帝からの国書を伝えないうちに帰国したという奇妙な記事があります。これは、遣唐使が冊封を受けることを拒んだ結果ではないかと考えられます。そして、隋と同じように唐とも「朝貢すれども、冊封は受けず」の地位を確保しました。

㈡ 政変と戦争で進む中央集権化

その後、聖徳太子は皇太子のまま薨去《こうきょ》(33)となり、天皇に即位することはありませんでした。聖徳太子亡き後は、**蘇我氏**が権力の絶頂期を迎えました。そこで、政治が腐敗した状況を打破しようと立ち上がったのが**中大兄皇子**《なかのおおえのおうじ》と**中臣鎌足**《なかとみのかまたり》でした。二人は六四五年、**飛鳥板**《いた》**蓋宮**《ぶきのみや》の大極殿《だいごくでん》にて、第三十五代**皇極**《こうぎょく》**天皇**の前で**蘇我入鹿**《そがのいるか》を殺害しました。乙巳《いっし》の変です。これにより蘇我氏が失脚しました。

この年、朝廷は日本で最初の元号である「大化」を定め、大化元年としました。皇帝は時間の支配者と観念されてきたので、元号の制定は皇帝の特権だったのです。日本が独自の元号を定めたということも、中国の冊封から独立した日本の意志なのです。元号は現在でも用いられています。

そして、翌六四六年に**大化の改新の詔**が出され、**公地公民制**がとられるようになりまし

(32) 天皇号の始まりは、天武天皇の時期という説もあります。
(33) 皇族が亡くなることを薨去といいます。これに対して、天皇、皇后、皇太后が亡くなることを崩御《ほうぎょ》といいます。

た。蘇我氏の政治から、天皇を中心とした政治に移行することになったのです。これにより、聖徳太子が目指した律令国家への道に立ち戻ることができました。公地公民による中央集権化は、唐の律令国家を手本としたものでした。

一方、まもなく朝鮮半島の情勢が一変します。六六〇年には唐・新羅連合軍が百済を攻め滅ぼしました。百済は日本の友好国でした。日本は百済の復興を支援するために、六六三年に大軍を朝鮮半島に差し向け、唐・新羅連合軍と戦いました。**白村江《はくそんこう》の戦い**です。しかし、日本の完敗でした。**天智天皇**は、連合軍の日本列島侵攻に備えるため、九州に防人《さきもり》を置いて、**水城《みずき》**や**朝鮮式山城**を築くなど、西日本から北九州にかけて戦の備えを固めました(34)。唐はその後、高句麗を攻めたため、日本を攻める余裕はなく、日本での決戦は行われませんでした。そして、高句麗も滅びました。

百済が滅亡すると、王族・貴族だけでなく、多くの人々が百済から日本に亡命してきました。朝廷は百済の人たちを迎え入れ、半島の文化を積極的に採り入れて活用しました。特に国の運営については多くを学びました。

㋭ 大宝律令の完成は独立国の証

天智天皇の崩御の後、六七二年に、皇子の**大友皇子**《おおとものおうじ》と、天皇の弟の**大海人皇子**《おおあまのおうじ》の間で皇位継承をめぐる対立が起きました。古代最大の内乱となった**壬申の乱**《じんしん》です。この戦いを制したのが大海人皇子で、天武天皇に即位しました。

この戦争では、大友皇子側に大豪族の大半が味方し、大海人皇子側に地方の中小の豪族が味方したため、有力な豪族が没落し、結果として天皇の権威が高まりました。また、白村江の戦いの論功で一部土地の私有が認められていましたが、ここで再び私有地と私有民を廃止し、公地公民を復活させることができました。天武天皇は『古事記』『日本書紀』の編纂を命じた天皇としても知られています。いよいよ、天皇を中心とした中央集権国家を完成させる段階に入りました。

天武天皇の後を継いだのが、皇后だった第四十一代**持統天皇**《じとう》です。六九四年に完成した**藤原京**は、中国の都を模範にした大規模なものでした。これまで天皇一代ごとに宮が定められてきましたが、藤原京は何代にも亘《わた》って使える都です。

---

(34) 防人は国を守るために九州に置かれた兵士、水城は大宰府《だざいふ》に築かれた土塁と濠、また朝鮮式山城は山に籠って戦うための山城です。

そして、次の第四十二代**文武天皇**《もんむ》の御世《みよ》で、いよいよ大宝《たいほう》元年（七〇一）に**大宝律令**が定められました。「律」は刑罰を定めたいわば刑法、「令」は政治の仕組みを定めた憲法の統治機構と行政法、民法にあたるものです。律令に基づいて政治を行う国家を律令国家といいます。現在でいう法治国家に近いものです。

独自の律令を持つことは、独立国であることの証でもあります。冊封体制のなかにある国は、宗主国の律令をそのまま使うのが常です。たとえば、新羅は最後まで自前の律令を持ちませんでした。

また、大宝律令には、詔書《しょうしょ》の書式を定めた法律があり、詔書には「日本天皇」と記すように規定されています。「日本」の国号と「天皇」の称号を用いることが法律に明文化されました。藤原京で、日本は律令国家としての日本国を完成させたのでした。

㋬「日本」を名乗った大宝の遣唐使

大宝二年（七〇二）の遣唐使は日本にとって特別に重要な意味があります。我が国が唐に対して「日本」国号を称したのです。これは、我が国が対外的に日本を名乗った初例になります。

『旧唐書』によると遣唐使は、はじめて国号として「日本」を名乗り、その理由を説明しました。また同書は「日本国は倭国の別種なり。その国、日の辺りに在るを以て、故に日本を以て名となす」「倭国自らその名雅《みや》びならざるを悪《にく》み、改めて日本となす」などと記しますが、「実を以て対へず」「故に中国これを疑ふ」ともあり、唐側は国号変更の理由について理解できなかったことが分かります。

「日の辺りに在るを以て」というのは、日本は日の昇る国という意味で、これはまさに推古天皇の国書に見える「日出づる処」と同じ発想にあります。地理的な環境を端的に表すだけでなく、天照大御神という、太陽の性格を持った神を皇室の先祖と仰ぐ我が国にとって、「日本」の国号は相応しいものというべきでしょう。

このときの日本は、かつての日本とは違う立派な国に成長していました。中央集権化した律令国家をすでに築き上げていたのです。この後の約百年間、日本は冊封を受けることとなく、二十年に一度程度、遣唐使を送りつづけました。ここに日本は完全なる独立を手に入れました。そして、七一〇年の**平城京**遷都によって、聖徳太子が考えた律令国家の姿が完成したのです。

これから先、日本は中国王朝の冊封体制に組み込まれることなく、今日に至ります。

コラム10

日本語の起源

日本の先土器時代と縄文時代にどのような言葉が話されていたか、まったく分かっていません。そこに、時代ごとに他の地域から言語要素が流入し、現代日本語が形成されました。

具体的には、もともと**縄文語**が存在していたところ、縄文時代後半期に長江下流域からオーストネシア語系言語の影響を受けて**弥生語**が形成され、そして弥生時代から古墳時代にかけて、朝鮮半島から朝鮮半島西部の言語の影響を受けて**古代日本語**が形成され、そして飛鳥時代に漢語、江戸時代末期以降に欧米語が入り**現代日本語**が完成しました。

日本列島は海に囲まれているため、大陸と違って、戦争により民族が言語と共に滅ぼされる経験をしたことがありません。そのため、日本語の成立過程は他の言語と比較しても単純なものです。

総じて、日本語は縄文時代には日本列島に存在していて、数度に亘り他の地域言語の影響を受けて成立した言語で、どの語族にも属さず、縄文時代以前の古い要素を色濃く残しています。神道の考えによると、神武天皇より前は神世の時代ですから、要するに日本語は高天原に通じる「神の言葉」ということになります。

そして、日本列島に最初の統一王権である大和王朝が成立して以来、日本列島の隅々にまで和語が行き届き、日本人は一つの言語を共有して結束していきました。

ところが、世界史を眺めると言語は脆弱《ぜいじゃく》なものであることが分かります。言語は民族と共に生き残るものであり、民族と共に滅びるものでもあるのです。英語が日の沈まぬ言語になった反面、その陰で夥しい数の言語が消滅していきました。

日本語も例外ではなく、いくつもの危機を乗り越えてきました。

元寇《げんこう》でもし神風が吹かなければ、日本列島は中国の元が統治する地域となり、今は中国の一部として中国語が用いられていたことでしょう。また幕末期の舵取《かじと》りを一つ間違えていたら、我が国は列強の植民地にされていた可能性もあります。そして、先の大戦の終結が遅れていたら、日本は東西に分断され、東日本では今ごろロシア語が公用語になっていたかもしれません。大戦後の占領期には、公用語を日本語から英語に替えるという議論までありました。

確かに、アメリカ先住民、ケルト、アボリジニーなど、日本の縄文時代に他の地域に存在していたアニミズム精神を持つ民族は現存します。しかし、彼らは国土と国家を持たず、言語すら失われつつあります。

原始民族で国土、国家、言語を持ち、一億人以上の人口を擁《よう》しているのは世界で日本だけであり、日本は現存する唯一の古代国家なのです。有史以前の古い言語が現在に存続していることは、大きな価値があります。

あとがき

本書は第Ⅰ部で、日本はいつどのようにできたのかを探り、第Ⅱ部で、日本建国をどのように子供たちに教えたらよいかを探ってきた。

学問分野によって意見の対立があるとしても、三世紀前期に三輪山周辺に巨大前方後円墳が造営されはじめたことがヤマト王権成立のサインであり、その王権がまもなく統一王権に成長して大和朝廷となり、その後、一度も王朝交代なく現在に至ることは、学問の立場を超えて異論はないことを確認した。したがって、我が国の建国は、最も短く見積もっても、千八百年前ということになる。

しかし、王権成立の兆しが現れた途端に巨大古墳を造ることはできないので、神武天皇に該当する最初の指導者が現れたのは、三世紀前期からさらに何世紀か遡ると考えるのが自然である。記紀は神武東征伝説を伝えるが、ヤマト王権を成立させる勢力が西日本から畿内に移動してきたことは考古学の成果とも符合する。

残念ながらそれ以前は、国内で文字が使われていないため、建国の状況を詳らかにすることは今のところできない。だが、分からないものは分からないと理解しておけばよいはずだ。詳細が分からなくても、日本が建国しなかったことにはならない。

我が国の建国の時期は、千八百年からさらに何世紀か遡った時点であることが想定される。「およそ二千年前か、それ以上」と表現するのが妥当であろう。日本は現存する世界最古の国家であることに間違いはない。

第Ⅱ部は教科書であるから結論はないが、非科学的として完全に排除されている『古事記』と『日本書紀』をどのように歴史教育のなかに入れ込むかは重要な問題であり、本書はその取り組みを、ひとまず形にしたものである。これからも各方面から批判を頂き、より精度の高い教科書の構築を目指していきたいと思う。

歴史教科書をまともなものに切り替えていけば、日本の未来は必ず拓《ひら》けると私は信じている。平成二十三年の東日本大震災で外国のメディアがしきりに取り上げたように、日本人の最大の特徴は、その精神的気質にあるといえるだろう。

日本人の精神的気質の根柢には日本人の価値観がある。そして、価値観は主に①自然観、②死生観、③歴史観の三つの柱によって構成されている。歴史観は日本人の精神的気質を構成する柱の一つであり、決して失ってはいけないものである。日本の独立自尊のために、現代日本人は、日本の国の成り立ちと、それを守ってきた先人たちの努力を知っておくべきだろう。このことを読者と共有できたなら、本書の目的は達成されたことになる。

私は学校教育に『古事記』を復活させなくてはならないと考えている。『古事記』は、日本人の自然観と死生観と歴史観を養うことができる数少ない教養書である。そろそろ、独立を回復してもなお占領軍の方針に従って動いている日本人ではなく、真の日本人の手に教育を返してもらいたいものだ。教科書を切り替えるだけで、三十年後の日本は国民一人ひとりが輝きを放っているに違いない。農民や漁民を含め、幕末の日本人が雄々しかったように。

＊

本書を出版するにあたり多くの方々のご協力を頂いた。新書の発刊にあたってはＰＨＰ研究所新書出版部の林知輝様、そして連載にあたっては『Ｖｏｉｃｅ』編集長の山岡勇二様、同編集部の藤岡岳哉様に多大なるご協力を頂いた。その他、ご協力くださった方々にこの場を借りて感謝申し上げたい。

平成二十三年紅染月吉日

竹田恒泰

主要参考文献一覧

安蒜政雄『旧石器時代の日本列島史』学生社、二〇一〇年五月
井上秀雄『古代朝鮮』講談社学術文庫、二〇〇四年十月
今谷明『室町の王権――足利義満の王権簒奪計画』中公新書、一九九〇年七月
岩崎卓也・常木晃編『国家形成の考古学』（現代の考古学7）朝倉書店、二〇〇八年十一月
植村清二『神武天皇――日本の建国』中公文庫、一九九〇年九月
沖森卓也編著『日本語史概説』（日本語ライブラリー）朝倉書店、二〇一〇年四月
笠原英彦『歴代天皇総覧』中公新書、二〇〇一年十一月
金関恕ほか『古墳のはじまりを考える』学生社、二〇〇五年五月
上垣外憲一『古代日本 謎の四世紀』学生社、二〇一一年三月
唐古・鍵考古学ミュージアム、桜井市立埋蔵文化財センター編『ヤマト王権はいかにして始まったか』学生社、二〇一一年五月
倉野憲司校注『古事記』岩波文庫、一九六三年一月
国史大辞典編集委員会編『国史大辞典』（全一七巻）吉川弘文館、一九七九年三月～一九九七年四月
坂本太郎ほか校注『日本書紀』（全五巻）岩波文庫、一九九四年九月～一九九五年三月
佐藤洋一郎『DNAが語る稲作文明――起源と展開』NHKブックス、一九九六年七月
佐原真『戦争の考古学』（佐原真の仕事4）岩波書店、二〇〇五年一月
佐原真、ウェルナー・シュタインハウス監修、奈良文化財研究所編『日本の考古学』（普及版、全二巻）学生社、二〇〇七年四月

産経新聞生命ビッグバン取材班『ここまでわかってきた 日本人の起源』産経新聞出版、二〇〇九年五月
志村有弘編『天皇皇族歴史伝説大事典』勉誠出版、二〇〇八年十二月
白石太一郎『古墳とヤマト政権——古代国家はいかに形成されたか』文春文庫、一九九九年四月
白石太一郎『考古学と古代史の間』ちくまプリマーブックス、二〇〇四年二月
高城修三『神々と天皇の宮都をたどる——高天原から平安京へ』（新装版）文英堂、二〇〇五年十月
竹内睦泰『超速！日本史の流れ』（増補改訂版）ブックマン社、二〇〇五年五月
武光誠『大和朝廷と天皇家』平凡社新書、二〇〇三年五月
田中卓『教養日本史』（第八版）青々企画、一九九七年十月
玉田芳英編『史跡で読む日本の歴史1「列島文化のはじまり」』吉川弘文館、二〇〇九年十一月
堤隆『ビジュアル版 旧石器時代ガイドブック』（シリーズ「遺跡を学ぶ」別冊）新泉社、二〇〇九年八月
寺沢薫『王権誕生』（日本の歴史2）講談社、二〇〇〇年十二月
遠山美都男『白村江——古代東アジア大戦の謎』講談社現代新書、一九九七年十月
遠山美都男『天皇と日本の起源——「飛鳥の大王」の謎を解く』講談社現代新書、二〇〇三年二月
戸沢充則編『縄文人の時代』（増補版）新泉社、二〇〇二年三月
中西輝政『帝国としての中国——覇権の論理と現実』東洋経済新報社、二〇〇四年九月
奈良の古代文化研究会編『纒向遺跡と桜井茶臼山古墳』（奈良の古代文化1）青垣出版、二〇一〇年十一月
西宮一民校注『古事記』（新潮日本古典集成）新潮社、一九七九年六月
林房雄『神武天皇実在論』学研M文庫、二〇〇九年七月
藤尾慎一郎『縄文論争』講談社選書メチエ、二〇〇二年十二月
藤本強『考古学でつづる日本史』（市民の考古学4）同成社、二〇〇八年一月
文化庁編『発掘された日本列島２０１０——新発見考古速報』朝日新聞出版、二〇一〇年六月
北條芳隆、溝口孝司、村上恭通『古墳時代像を見なおす——成立過程と社会変革』青木書店、二〇〇〇年八月
松木武彦『日本列島の戦争と初期国家形成』東京大学出版会、二〇〇七年一月

水戸部正男編著『図説 歴代天皇紀』秋田書店、一九八九年三月
宮崎嘉夫『日本人と日本語のルーツを掘り起こす――考古学からDNAまで』文芸社、二〇〇九年七月
森公章『「白村江」以後――国家危機と東アジア外交』講談社選書メチエ、一九九八年六月
森浩一『日本神話の考古学』朝日文庫、一九九九年三月
森浩一『記紀の考古学』朝日文庫、二〇〇五年二月
安本美典「神武東征伝承の再検証」(『歴史と旅』平成七年六月号、秋田書店、三六～四五ページ)
山岸良二『日本考古学の現在《いま》』(市民の考古学9)同成社、二〇一一年六月
山口仲美『日本語の歴史』岩波新書、二〇〇六年五月
山口佳紀、神野志隆光校注・訳『新編日本古典文学全集1「古事記」』小学館、一九九七年五月
八幡和郎『歴代天皇列伝』PHP研究所、二〇〇八年六月
吉田孝『日本の誕生』岩波新書、一九九七年六月
和田萃『古墳の時代』(大系日本の歴史2)小学館、一九八七年十二月
『飛鳥王朝史――聖徳太子と天智・天武の偉業』(歴史群像シリーズ)学習研究社、二〇〇五年三月
『歴代天皇・皇后総覧』(別冊歴史読本、第三二巻七号)新人物往来社、二〇〇六年二月
『歴代天皇全史――万世一系を彩る君臨の血脈』(歴史群像シリーズ)学習研究社、二〇〇三年三月

【参照した教科書】

《中学校社会科》(二〇〇五年文部科学省検定済)
『新編 新しい社会 歴史』東京書籍、二〇一〇年二月
『わたしたちの中学社会 歴史的分野』日本書籍新社、二〇一〇年一月
『社会科 中学生の歴史 日本の歩みと世界の動き』(初訂版)帝国書院、二〇一〇一月
『中学生の社会科 歴史 日本の歩みと世界』日本文教出版、二〇一〇一月
『中学社会 歴史 未来をみつめて』教育出版、二〇一〇年一月

『新中学校 歴史 日本の歴史と世界』(改訂版) 清水書院、二〇一〇年二月
『中学社会 新しい歴史教科書』(改訂版) 扶桑社、二〇〇六年二月
『日本人の歴史教科書』(市販版) 自由社、二〇〇九年五月

《高等学校地理 歴史科》(文部科学省検定済)
『詳説日本史 日本史B』(改訂版) 山川出版社、二〇一〇年三月 (二〇〇六年検定済)
『日本史B』(改訂第四版) 三省堂、二〇一一年三月 (二〇〇七年検定済)
『日本史B』 東京書籍、二〇一一年三月 (二〇〇三年検定済)

【拙著のなかで本書の主題と関係するもの】

竹田恒泰『語られなかった皇族たちの真実——若き末裔が初めて明かす「皇室が2000年続いた理由」』 小学館、二〇〇五年十二月
竹田恒泰『旧皇族が語る天皇の日本史』 PHP新書、二〇〇八年二月
竹田恒泰『日本はなぜ世界でいちばん人気があるのか』 PHP新書、二〇一〇年十二月
竹田恒泰『現代語古事記』 学研パブリッシング、二〇一一年八月

竹田研究会のご案内

全国で竹田恒泰氏を講師とする連続講座を開催しています。東京から始まったこの研究会は、北海道、愛知、石川、京都、大阪、兵庫、広島、愛媛、福岡とその輪が広がり、約3,000人の会員に支えられてきました。これまで国史、日本神話、憲法をはじめ、日本の伝統や皇室に関する数多くの講座を行ってきました。入会費、年会費はありません。詳細は下記までお問い合わせください。
(ただし電話での受付は行っておりません)

[竹田研究会事務局]
Eメール:otoiawase@takedaken.org
FAX:03-6435-1953

本書の第Ⅰ部は弊誌『Voice』(平成23年6月号~10月号)に掲載した短期集中連載「新・日本建国論」に加筆・再構成してまとめたものである。

PHP新書

PHP INTERFACE
http://www.php.co.jp/

竹田恒泰［たけだ・つねやす］

昭和50年（1975）旧皇族・竹田家に生まれる。明治天皇の玄孫にあたる。慶應義塾大学法学部法律学科卒業。専門は憲法学・史学。作家。慶應義塾大学講師（憲法学）として「憲法特殊講義（天皇と憲法）」を担当。平成18年（2006）に著書『語られなかった皇族たちの真実』（小学館）で第15回山本七平賞を受賞。平成20年（2008）に論文「天皇は本当に主権者から象徴に転落したのか?」で第2回「真の近現代史観」懸賞論文・最優秀藤誠志賞を受賞。
著書はほかに『日本はなぜ世界でいちばん人気があるのか』『旧皇族が語る天皇の日本史』（以上、PHP新書）、『原発はなぜ日本にふさわしくないのか』『怨霊になった天皇』（以上、小学館）、『現代語古事記』（学研パブリッシング）、『エコマインド～環境の教科書』（ベストブック）、共著に『皇室へのソボクなギモン』（扶桑社）、『皇統保守』（PHP研究所）などがある。

日本人はなぜ日本のことを知らないのか

（PHP新書755）

二〇一一年九月二十九日　第一版第一刷
二〇一三年六月　五　日　第一版第十八刷

著者——竹田恒泰
発行者——小林成彦
発行所——株式会社ＰＨＰ研究所
東京本部——〒102-8331　千代田区一番町21
新書出版部　☎03-3239-6298（編集）
普及一部　☎03-3239-6233（販売）
京都本部——〒601-8411　京都市南区西九条北ノ内町11
組版——有限会社エヴリ・シンク
装幀者——芦澤泰偉＋児崎雅淑
印刷所
製本所——図書印刷株式会社

ISBN978-4-569-79933-9

ＰＨＰ新書刊行にあたって

「繁栄を通じて平和と幸福を」(PEACE and HAPPINESS through PROSPERITY)の願いのもと、ＰＨＰ研究所が創設されて今年で五十周年を迎えます。その歩みは、日本人が先の戦争を乗り越え、並々ならぬ努力を続けて、今日の繁栄を築き上げてきた軌跡に重なります。

しかし、平和で豊かな生活を手にした現在、多くの日本人は、自分が何のために生きているのか、どのように生きていきたいのかを、見失いつつあるように思われます。そして、その間にも、日本国内や世界のみならず地球規模での大きな変化が日々生起し、解決すべき問題となって私たちのもとに押し寄せてきます。

このような時代に人生の確かな価値を見出し、生きる喜びに満ちあふれた社会を実現するために、いま何が求められているのでしょうか。それは、先達が培ってきた知恵を紡ぎ直すこと、その上で自分たち一人一人がおかれた現実と進むべき未来について丹念に考えていくこと以外にはありません。

その営みは、単なる知識に終わらない深い思索へ、そしてよく生きるための哲学への旅でもあります。弊所が創設五十周年を迎えましたのを機に、ＰＨＰ新書を創刊し、この新たな旅を読者と共に歩んでいきたいと思っています。多くの読者の共感と支援を心よりお願いいたします。

一九九六年十月

ＰＨＰ研究所

PHP新書

[歴史]

[思想・哲学]

682 「肩の荷」をおろして生きる 上田紀行
721 人生をやり直すための哲学 小川仁志
733 吉本隆明と柄谷行人 合田正人

［社会・教育］

117 社会的ジレンマ 山岸俊男
134 社会起業家「よい社会」をつくる人たち 町田洋次
141 無責任の構造 岡本浩一
175 環境問題とは何か 富山和子
252 テレビの教科書 碓井広義
324 わが子を名門小学校に入れる法 清水克彦／和田秀樹
335 ＮＰＯという生き方 島田 恒
380 貧乏クジ世代 香山リカ
389 効果10倍の〈教える〉技術 吉田新一郎
396 われら戦後世代の「坂の上の雲」 寺島実郎
414 わが子を有名中学に入れる法 清水克彦／和田秀樹
418 女性の品格 坂東眞理子
455 効果10倍の〈学び〉の技法 吉田新一郎／岩瀬直樹
481 良妻賢母 池内ひろ美
495 親の品格 坂東眞理子
504 生活保護vsワーキングプア 大山典宏
515 バカ親、バカ教師にもほどがある 藤原和博／［聞き手］川端裕人
522 プロ法律家のクレーマー対応術 横山雅文
537 ネットいじめ 荻上チキ
546 本質を見抜く力――環境・食料・エネルギー 養老孟司／竹村公太郎
558 若者が3年で辞めない会社の法則 本田有明
561 日本人はなぜ環境問題にだまされるのか 武田邦彦
569 高齢者医療難民 吉岡 充／村上正泰
570 地球の目線 竹村真一
577 読まない力 養老孟司
586 理系バカと文系バカ 竹内 薫［著］／嵯峨野功一［構成］
599 共感する脳 有田秀穂
601 オバマのすごさ やるべきことは全てやる！ 岸本裕紀子
602 「勉強しろ」と言わずに子供を勉強させる法 小林公夫
607 進化する日本の食 共同通信社［編］
616 「説明責任」とは何か 井之上 喬
618 世界一幸福な国デンマークの暮らし方 千葉忠夫
619 お役所バッシングはやめられない 山本直治
621 コミュニケーション力を引き出す 平田オリザ／蓮行
629 テレビは見てはいけない 苫米地英人
632 あの演説はなぜ人を動かしたのか 川上徹也

633 医療崩壊の真犯人　村上正泰
637 海の色が語る地球環境　功刀正行
641 マグネシウム文明論　矢部 孝／山路達也
642 数字のウソを見破る　中原英臣／佐川 峻
648 7割は課長にさえなれません　城 繁幸
651 平気で冤罪をつくる人たち　井上 薫
652 〈就活〉廃止論　佐藤孝治
654 わが子を算数・数学のできる子にする方法　小出順一
661 友だち不信社会　山脇由貴子
675 中学受験に合格する子の親がしていること　小林公夫
678 世代間格差ってなんだ　城 繁幸／小黒一正／高橋亮平
681 スウェーデンはなぜ強いのか　北岡孝義
687 生み出す力　西澤潤一
692 女性の幸福［仕事編］　坂東眞理子
693 29歳でクビになる人、残る人　菊原智明
694 就活のしきたり　石渡嶺司
706 日本はスウェーデンになるべきか　高岡 望
708 電子出版の未来図　立入勝義
719 なぜ日本人はとりあえず謝るのか　佐藤直樹
720 格差と貧困のないデンマーク　千葉忠夫
735 強毒型インフルエンザ　岡田晴恵
739 20代からはじめる社会貢献　小暮真久
741 本物の医師になれる人、なれない人　小林公夫
751 日本人として読んでおきたい保守の名著　潮 匡人

［言語・外国語］

643 白川静さんと遊ぶ 漢字百熟語　小山鉄郎
723 「古文」で身につく、ほんものの日本語　鳥光 宏

［文学・芸術］

258 「芸術力」の磨きかた　林 望
343 ドラえもん学　横山泰行
368 ヴァイオリニストの音楽案内　高嶋ちさ子
391 村上春樹の隣には三島由紀夫がいつもいる。　佐藤幹夫
415 本の読み方 スロー・リーディングの実践　平野啓一郎
421 「近代日本文学」の誕生　坪内祐三
497 すべては音楽から生まれる　茂木健一郎
519 團十郎の歌舞伎案内　市川團十郎
545 建築家は住宅で何を考えているのか　東京大学建築デザイン研究室［編］難波和彦／千葉 学／山代 悟
557 高嶋ちさ子の名曲案内　高嶋ちさ子
578 心と響き合う読書案内　小川洋子
581 ファッションから名画を読む　深井晃子

588 小説の読み方 平野啓一郎
595 音楽の捧げもの 茂木健一郎
612 身もフタもない日本文学史 清水義範
617 岡本太郎 平野暁臣
623 「モナリザ」の微笑み 布施英利
636 あの作家の隠れた名作 石原千秋
668 謎解き「アリス物語」 稲木昭子／沖田知子
676 ぼくらが夢見た未来都市 五十嵐太郎／磯 達雄
707 宇宙にとって人間とは何か 小松左京
731 フランス的クラシック生活 ルネ・マルタン［著］／高野麻衣［解説］

［心理・精神医学］

053 カウンセリング心理学入門 國分康孝
065 社会的ひきこもり 斎藤 環
103 生きていくことの意味 諸富祥彦
111 「うつ」を治す 大野 裕
171 学ぶ意欲の心理学 市川伸一
196 〈自己愛〉と〈依存〉の精神分析 和田秀樹
304 パーソナリティ障害 岡田尊司
364 子どもの「心の病」を知る 岡田尊司
381 言いたいことが言えない人 加藤諦三
453 だれにでも「いい顔」をしてしまう人 加藤諦三
487 なぜ自信が持てないのか 根本橘夫
534 「私はうつ」と言いたがる人たち 香山リカ
550 「うつ」になりやすい人 加藤諦三
583 だましの手口 西田公昭
608 天才脳は「発達障害」から生まれる 正高信男
627 音に色が見える世界 岩崎純一
674 感じる力 瞑想で人は変われる 吉田脩二
680 だれとも打ち解けられない人 加藤諦三
695 大人のための精神分析入門 妙木浩之
697 統合失調症 岡田尊司
701 絶対に影響力のある言葉 伊東 明
703 ゲームキャラしか愛せない脳 正高信男
724 真面目なのに生きるのが辛い人 加藤諦三
730 記憶の整理術 榎本博明

［医療・健康］

336 心の病は食事で治す 生田 哲
436 高次脳機能障害 橋本圭司
498 「まじめ」をやめれば病気にならない 安保 徹
499 空腹力 石原結實
533 心と体の不調は「歯」が原因だった！ 丸橋 賢

551 体温力　石原結實
552 食べ物を変えれば脳が変わる　生田 哲
656 温泉に入ると病気にならない　松田忠徳
669 検診で寿命は延びない　岡田正彦
685 家族のための介護入門　岡田慎一郎
690 合格を勝ち取る睡眠法　遠藤拓郎
691 リハビリテーション入門　橋本圭司
698 病気にならない脳の習慣　生田 哲
712 「がまん」するから老化する　和田秀樹

［経済・経営］
078 アダム・スミスの誤算　佐伯啓思
079 ケインズの予言　佐伯啓思
187 働くひとのためのキャリア・デザイン　金井壽宏
379 なぜトヨタは人を育てるのがうまいのか　若松義人
450 トヨタの上司は現場で何を伝えているのか　若松義人
479 いい仕事の仕方　江口克彦
526 トヨタの社員は机で仕事をしない　若松義人
542 中国ビジネス とんでも事件簿　範 雲涛
543 ハイエク 知識社会の自由主義　池田信夫
547 ナンバー2《ツー》が会社をダメにする　岡本浩一
565 世界潮流の読み方
ビル・エモット［著］／烏賀陽正弘［訳］
579 自分で考える社員のつくり方　山田日登志
584 外資系企業で成功する人、失敗する人　津田倫男
587 微分・積分を知らずに経営を語るな　内山 力
594 新しい資本主義　原 丈人
603 凡人が一流になるルール　齋藤 孝
620 自分らしいキャリアのつくり方　高橋俊介
645 型破りのコーチング　平尾誠二／金井壽宏
655 変わる世界、立ち遅れる日本
ビル・エモット［著］／烏賀陽正弘［訳］
689 仕事を通して人が成長する会社　中沢孝夫
709 なぜトヨタは逆風を乗り越えられるのか　若松義人
710 お金の流れが変わった！　大前研一
713 ユーロ連鎖不況　中空麻奈
727 グーグル 10の黄金律　桑原晃弥
750 大災害の経済学　林 敏彦
752 日本企業にいま大切なこと　野中郁次郎／遠藤 功

［宗教］
123 お葬式をどうするか　ひろさちや
210 仏教の常識がわかる小事典　松濤弘道

300 梅原猛の『歎異抄』入門　梅原 猛
469 神社の由来がわかる小事典　三橋 健
564 人生が開ける禅の言葉　高田明和
716 心が温かくなる日蓮の言葉　大平宏龍

［政治・外交］

318・319 憲法で読むアメリカ史（上・下）　阿川尚之
326 イギリスの情報外交　小谷 賢
413 歴代総理の通信簿　八幡和郎
426 日本人としてこれだけは知っておきたいこと　中西輝政
494 地域主権型道州制　江口克彦
535 総理の辞め方　本田雅俊
631 地方議員　佐々木信夫
644 誰も書けなかった国会議員の話　川田龍平
667 アメリカが日本を捨てるとき　古森義久
686 アメリカ・イラン開戦前夜　宮田 律
688 真の保守とは何か　岡崎久彦
729 国家の存亡　関岡英之
745 官僚の責任　古賀茂明
746 ほんとうは強い日本　田母神俊雄

［人生・エッセイ］

147 勝者の思考法　二宮清純
263 養老孟司の〈逆さメガネ〉　養老孟司
340 使える！『徒然草』　齋藤 孝
377 上品な人、下品な人　山﨑武也
411 いい人生の生き方　江口克彦
424 日本人が知らない世界の歩き方　曾野綾子
431 人は誰もがリーダーである　平尾誠二
484 人間関係のしきたり　川北義則
500 おとなの叱り方　和田アキ子
507 頭がよくなるユダヤ人ジョーク集　烏賀陽正弘
529 賢く老いる生活術　中島健二
575 エピソードで読む松下幸之助　PHP総合研究所〔編著〕
585 現役力　工藤公康
590 日本を滅ぼす「自分バカ」　勢古浩爾
600 なぜ宇宙人は地球に来ない？　松尾貴史
604 〈他人力〉を使えない上司はいらない！　河合 薫
609 「51歳の左遷」からすべては始まった　川淵三郎
630 笑える！ 世界の七癖 エピソード集　岡崎大五
634 「優柔決断」のすすめ　古田敦也
638 余韻《よいん》のある生き方　工藤美代子
653 筋《すじ》を通せば道は開ける　齋藤 孝
657 駅弁と歴史を楽しむ旅　金谷俊一郎

664 脇役力〈ワキヂカラ〉 田口 壮
665 お見合い1勝99敗 吉良友佑
671 晩節を汚さない生き方 鷲田小彌太
699 采配力《さいはいりょく》 川淵三郎
700 プロ弁護士の処世術 矢部正秋
702 プロ野球 最強のベストナイン 小野俊哉
714 野茂英雄
ロバート・ホワイティング［著］／松井みどり［訳］
715 脳と即興性 山下洋輔／茂木健一郎
722 長嶋的、野村的 青島健太
726 最強の中国占星法 東海林秀樹
736 他人と比べずに生きるには 高田明和
742 みっともない老い方 川北義則

［**知的技術**］

003 知性の磨きかた 林 望
025 ツキの法則 谷岡一郎
112 大人のための勉強法 和田秀樹
180 伝わる・揺さぶる！ 文章を書く 山田ズーニー
203 上達の法則 岡本浩一
250 ストレス知らずの対話術 齋藤 孝
305 頭がいい人、悪い人の話し方 樋口裕一
351 頭がいい人、悪い人の〈言い訳〉術 樋口裕一
390 頭がいい人、悪い人の〈口ぐせ〉 樋口裕一
399 ラクして成果が上がる理系的仕事術 鎌田浩毅
404 「場の空気」が読める人、読めない人 福田 健
432 頭がよくなる照明術 結城未来
438 プロ弁護士の思考術 矢部正秋
511 仕事に役立つインテリジェンス 北岡 元
531 プロ棋士の思考術 依田紀基
544 ひらめきの導火線 茂木健一郎
573 1分で大切なことを伝える技術 齋藤 孝
605 1分間をムダにしない技術 和田秀樹
615 ジャンボ機長の状況判断術 坂井優基
622 本当に使える！ 日本語練習ノート 樋口裕一
624 「ホンネ」を引き出す質問力 堀 公俊
626 〝口ベタ〟でもうまく伝わる話し方 永崎一則
646 世界を知る力 寺島実郎
662 マインドマップ デザイン思考の仕事術 木全 賢／松岡克政
666 自慢がうまい人ほど成功する 樋口裕一
673 本番に強い脳と心のつくり方 苫米地英人
683 飛行機の操縦 坂井優基
711 コンピュータvsプロ棋士 岡嶋裕史

717 プロアナウンサーの「伝える技術」 石川 顕
718 必ず覚える！ 1分間アウトプット勉強法 齋藤 孝
728 論理的な伝え方を身につける 内山 力
732 うまく話せなくても生きていく方法 梶原しげる
733 超訳 マキャヴェリの言葉 本郷陽二
747 相手に9割しゃべらせる質問術 おちまさと
749 世界を知る力 日本創生編 寺島実郎

［自然・生命］

208 火山はすごい 鎌田浩毅
299 脳死・臓器移植の本当の話 小松美彦
478 「頭のよさ」は遺伝子で決まる!? 石浦章一
540 いのちを救う先端技術 久保田博南
576 日本は原子爆弾をつくれるのか 山田克哉
659 ブレイクスルーの科学者たち 竹内 薫

［地理・文化］

264 「国民の祝日」の由来がわかる小事典 所 功
332 ほんとうは日本に憧れる中国人 王 敏
369 中国人の愛国心 王 敏
383 出身地でわかる中国人 宮崎正弘
465・466 ［決定版］京都の寺社505を歩く（上・下） 山折哲雄／槇野 修
592 日本の曖昧《あいまい》力 呉 善花
635 ハーフはなぜ才能を発揮するのか 山下真弥
639 世界カワイイ革命 櫻井孝昌
649 高級ショコラのすべて 小椋三嘉
650 奈良の寺社150を歩く 山折哲雄／槇野 修
670 発酵食品の魔法の力 小泉武夫／石毛直道［編著］
684 望郷酒場を行く 森 まゆみ
696 サツマイモと日本人 伊藤章治
705 日本はなぜ世界でいちばん人気があるのか 竹田恒泰
744 天空の帝国インカ 山本紀夫